Helmut Kohl · Eine Biographie

Klaus Hofmann

Helmut Kohl

Eine Biographie

Verlag Ernst Knoth GmbH · Melle

CIP-Titelaufnahme der Deutschen Bibliothek:

Hofmann, Klaus:
Helmut Kohl : eine Biographie / Klaus Hofmann. –
Aktualisierte und erw. Lizenzausg. – Melle : Knoth, 1990
ISBN 3-88368-207-1

Fotos:
Mit freundlicher Genehmigung des Bundespresseamts
und der Konrad-Adenauer-Stiftung

Aktualisierte und erweiterte Lizenzausgabe
mit Genehmigung des Verlages BONN AKTUELL GmbH
für den Verlag Ernst Knoth GmbH, Melle, Oktober 1990.

Gesamtherstellung: Ernst Knoth GmbH, D-4520 Melle 1
Printed in Germany 1990

ISBN 3-88368-207-1

Inhalt

Geschichte und Erfahrungen

Donnerstag, 3. April 1930. In der Hohenzollernstraße des Ludwigshafener Stadtteils Friesenheim freuen sich der Finanzbeamte Hans Kohl und seine Frau Cäcilie über die Geburt ihres zweiten Sohnes. Er wird auf den Namen Helmut getauft.

Nur wenige Monate vor der Geburt Helmut Kohls hatte der «Schwarze Freitag» an der New Yorker Börse die Industrienationen in ihre bislang tiefste Depression getrieben. Sie sollte als Weltwirtschaftskrise in die Geschichte eingehen. Innenpolitisch kündigte sich das Ende der Weimarer Republik an, die nur vierzehn Jahre alt werden sollte. Reichskanzler Heinrich Brüning (Zentrum) konnte die Radikalisierung durch Kommunisten und Nationalsozialisten nicht mehr aufhalten. Hitler, der noch 1930 im Leipziger Reichswehrprozeß heuchlerisch auf die Weimarer Verfassung geschworen hatte, wurde Reichskanzler und setzte binnen kurzem alle demokratischen Rechte und Freiheiten außer Kraft. Sein Regime hielt sich zwölf Jahre, die Bilanz war furchtbar. Über fünfzig Millionen Menschen verloren im Zweiten Weltkrieg, den Hitler mit seiner Expansionspolitik ausgelöst hatte, ihr Leben.

Als Helmut Kohl in Ludwigshafen das Licht der Welt erblickte, war diese Stadt gerade siebzig Jahre alt geworden. Im Jahre 1928 schrieb der in Ludwigshafen geborene Philosoph Ernst Bloch, Ludwigshafen bleibe der «Fabrikschmutz, den man gezwungen hatte, Stadt zu werden».

Im politischen Realitätssinn Helmut Kohls sind die Jugendeindrücke fest verankert. Aus ihnen entwickelte sich sein Bild von einer Gesellschaft mit menschlichem Antlitz. In den Thesen der von Papst Pius XI. 1931 geschriebenen

Enzyklika «Quadragesimo Anno» fand der junge Mann aus gläubigem katholischem Elternhause später das Gebot zur sozialen Verpflichtung. Die Chemiestadt Ludwigshafen mit ihrer texanisch wilden, ziemlich rücksichtslosen Entwicklung bot ein Lehrstück par excellence. Ein ungeschönter Anschauungsunterricht verhängnisvoller Entwicklungen verhalf Kohl in seinem christlichen Elternhaus früh zu persönlicher Motivation und engagiertem Nachdenken. Der Mut und das Selbstvertrauen, die Beherztheit, die seine Laufbahn als aktiver Politiker kennzeichnen, kommen nicht von ungefähr. Sie entsprechen seiner Fähigkeit, auch in scheinbar aussichtsloser Lage nicht aufzugeben und der Kleingläubigkeit das «Prinzip Hoffnung» entgegenzusetzen.

Das Bekenntnis Kohls zu seiner Vaterstadt hat nichts mit Nostalgie zu tun. Es ist Ausdruck fester Gebundenheit an einen Heimatort, der dem fremden Besucher gar nicht liebenswürdig, wohl eher häßlich erscheinen mag. Aber vielleicht ist es gerade das Unaufgeräumte, das Unfertige der Stadt – übrigens nicht das «Provinzielle» –, das zum Wagnis reizt und die politische Aktion herausfordert. Die harten Bedingungen der Industriestadt Ludwigshafen und die Lebensfreude der pfälzischen Landschaft schließen sich nicht gegenseitig aus, sondern bilden zwei Seiten einer Medaille besonderen Temperaments.

Helmut Kohl war immer stolz darauf, aus Ludwigshafen zu kommen, einer Stadt, die sich kein besseres Schicksal aussuchen konnte. Es störte ihn nicht, daß man ihm oft Provinzialismus vorwarf. Im Gegenteil. Wer diesen Vorwurf erhebt, erregt bei Kohl den Verdacht, für Bindungen unfähig zu sein. Schon für den fünfzehnjährigen Flakhelfer,

Helmut Kohl (links) mit seinen beiden Geschwistern ▷

dessen Bruder in den letzten Kriegsmonaten als Frontsoldat starb, gab es keine Sekunde des Zögerns, sich von Bayern aus, wo er stationiert war, zu den Eltern durchzuschlagen. Wie vielen seiner Freunde, zumal aus der älteren Generation der Kriegsteilnehmer, wurde es auch für ihn bald bedrückende Gewißheit, mit der Rückkehr in den französisch besetzten Teil des ehemaligen Reichsgebietes einen schweren, mühseligen Weg in eine unsichere Zukunft gewählt zu haben.

Die Heimkehrer zogen über den Strom und nisteten sich in der Mondlandschaft einer verwüsteten Stadt ein. Bei 124 Fliegerangriffen – Kohl hat viele von ihnen erlebt – waren auf Ludwigshafen 40000 Sprengbomben und 800000 Brandbomben gefallen. Die Stadt wurde zu achtzig Prozent zerstört. Sie hatte 1778 Todesopfer zu beklagen und fast 3000 Verletzte zu versorgen.

Das Jahr 1945 war für Helmut Kohl eine «Befreiung zur Freiheit»; es blieb für ihn ein tiefer Einschnitt, der mit dem Ende des Zweiten Weltkrieges den Weg zu einer demokratischen Verfassung freigab. In diesem Sinne sah sich der Pfälzer ganz in der Tradition der patriotischen Vorkämpfer des «Hambacher Festes».

Helmut Kohl empfand eine abgrundtiefe Abneigung gegen jede Art von Systemzwang, vor allem gegen die rigorosen Methoden des Stalinkultes, wie er in der sowjetisch besetzten Zone und in der späteren DDR praktiziert wurde. Seitdem sieht er im Kampf gegen einseitige Ideologie und doktrinären Sozialismus eine «Mission der freiheitlichen Demokratie». Für den Mitbegründer der Jungen Union in Ludwigshafen (1947) ergab sich dadurch ein frühes Angriffsmotiv gegen eine starke kommunistische Anhängerschaft, die bei der ersten Landtagswahl in Rheinland-Pfalz allein in Ludwigshafen einen Stimmenanteil von über zwanzig Prozent ausmachte.

Kohl schreckte schon in der Jugend vor Auseinandersetzungen nicht zurück. Er mobilisierte die Basis. Bei der ersten demokratischen Stadtratswahl nach vierzehn Jahren – Kohl nahm am Wahlkampf als Plakatkleber teil – schlugen sich die politischen Verhältnisse in folgender Sitzverteilung nieder: SPD 22, CDU 16, KPD 8, Wirtschaftliche Vereinigung 4 Sitze.

Die besonderen Ludwigshafener Verhältnisse haben das politische Talent Helmut Kohls zweifellos beeinflußt und mitgeformt. Es lohnt sich, für die Freiheit – nach einem Ausdruck des Revolutionärs von 1848/49 Carl Schurz die «alte Sache der Menschheit» – zu kämpfen. Kohl hat später in seiner politischen Laufbahn viele Beispiele dafür geliefert, daß es für eine Partei, die zu ihren Überzeugungen steht, keine aussichtslose Position geben kann. Das Herauskämpfen aus der Niederlage – auch der eigenen – mit eingeschlossen.

Helmut Kohl bleibt auch das «Brot der frühen Jahre» unvergessen, das zu Schwarzmarktpreisen gehandelt wurde. Hunger diktierte das Leben Ende der vierziger Jahre. Der aufgeschlossene Student der Geschichte und der Staatswissenschaften war dankbar und glücklich, geriet er unverhofft in den Genuß eines Mittagessens, das ihm zuweilen Prälat Martin Walser, Albert Finck und Josef Schaub im Hotelrestaurant «Hubertus» stifteten.

Walser, der Prälat, Finck, der Journalist und Kultusminister, und Schaub, der Zeitungsverleger – alle in den Jahren der braunen Diktatur in ihrer Handlungsfreiheit eingeschränkt – trugen zur geistigen Profilierung Helmut Kohls ebenso bei wie Dekan Johannes Finck und Pfarrer Jakob

Jung mit ihrer freimütigen ökumenischen Grundhaltung. Das politische Naturell konnte sich unter der Fürsorge des erfahrenen Ludwigshafener CDU-Bürgermeisters Ludwig Reichert und des Fraktionsvorsitzenden Ludwig Reichling voll entfalten.

Die enge Verbindung mit der pfälzischen Umwelt bedeutete für Kohl keine geistige Einengung. Vielmehr vermittelte sie Kraft, Anregung, korrigierte aber auch. Sie war und ist für den Politiker Kohl unerläßlich, weil für ihn nichts mehr die Realität bestimmt als die Menschen, die in ihr leben. Der weltoffene Pfälzer hatte auch nie Schwierigkeiten, den Dialog mit Repräsentanten anderer demokratischer Parteien zu führen. Er würde, so heißt es bei seinen Freunden, selbst mit dem Teufel sprechen, solange er in ihm den gefallenen Engel erkennt. «Denn es ist eine wichtige Frage der politischen Kultur, miteinander zu reden und weniger übereinander», sagt Kohl, der auch als aufmerksamer Zuhörer gilt.

Was diese Tugenden demokratischer Hartnäckigkeit angeht, spricht Helmut Kohl von einem südwestdeutschen Element in der Politik, das den demokratischen Parteien in diesem Teil der Bundesrepublik Deutschland historisch zu eigen sei. Dieser Reichtum an demokratischer Grundsubstanz fördert auch die persönlichen Beziehungen und Bindungen. So gab es für Kohl bei seiner Wahl zum Ministerpräsidenten von Rheinland-Pfalz im Jahr 1969 auch von Abgeordneten Zustimmung, die nicht der CDU angehörten. Bis heute ist die Vermutung nicht verstummt, Kohl habe bei dieser Wahl auch SPD-Stimmen erhalten.

◁ *Helmut Kohl mit etwa 18 Jahren*

Für Rheinland-Pfalz

Helmut Kohls Karriere in der von Konrad Adenauer dominierten Partei verlief weniger steil als stetig. Mit 25 Jahren rückte er in den CDU-Landesvorstand ein. Ein Jahr nach der Promotion zum Dr. phil. wurde er 1959 in den Mainzer Landtag gewählt. Auch in dieser Position war er der Jüngste. Gleichwohl ist die Annahme falsch, dies alles sei ihm in den Schoß gefallen. Die Familie Kohl war nicht auf Rosen gebettet. Durch Ferienarbeit, zum Beispiel als Steinschleifer, bekam Helmut Kohl während des Studiums der Geschichte, des Staatsrechts und der Politischen Wissenschaft in Heidelberg etwas Geld auf die Hand. So kam er über die Runden. Später vermittelte ihm der namhafte Politikwissenschaftler Dolf Sternberger eine Hilfsassistentenstelle an der Universität. Sie besserte das Budget des Studenten mit immerhin 150 Mark monatlich erheblich auf.

Erst die Anstellung als Direktionsassistent und dann als Mitarbeiter im Chemieverband brachte ihn nach zwölf Lern- und Lehrjahren an ein sehr persönliches Ziel, an dem er unbeirrt festgehalten hatte: Mit Hannelore Renner eine Familie zu gründen. Die Bekanntschaft datiert aus dem Jahr 1948. Damals begegneten sich beide auf einem Tanzstundenball in Friesenheim. Die fünfzehnjährige Hannelore, drei Jahre jünger als Helmut Kohl, galt schon damals als sehr selbstbewußtes, hübsches und elegantes Mädchen von maßvollem Stolz. Ihre Jugendzeit, nach unbeschwerten Kinderjahren in Berlin und Leipzig, wurde von schlimmen Fluchterlebnissen überschattet. Der Vater, ein Oberingenieur, überlebte die Rückkehr in die heimatliche Pfalz nur um wenige Jahre. Mutter und Tochter wagten den mühseligen Aufbau einer Existenz. Das Tanzkleid, das Hannelore

Renner bei ihrer ersten Begegnung mit Helmut Kohl trug, hatte die Mutter aus Fahnenresten geschneidert. Als gelernte Auslandskorrespondentin für Englisch und Französisch verdiente Hannelore später ihr eigenes Geld.

1960 war es noch keineswegs selbstverständlich, daß ein Katholik ohne Skrupel eine Protestantin heiratete. Es klingt paradox, doch es war bei beiden gerade das persönliche Glaubensbekenntnis, das «ökumenische» menschliche Übereinstimmung bewirkte.

Hannelore Kohl zog sich aus dem Arbeitsleben bald zurück. Nach der Geburt der beiden Söhne Walter und Peter galt ihre Fürsorge den Kindern. Aber sie stand ihrem Mann immer zur Seite, der ihr viel mehr verdankt, als nach außen erkennbar ist.

Helmut Kohl gehörte dem Ludwigshafener Stadtrat sechs Jahre lang in der Funktion des Fraktionsvorsitzenden an. Das Doppelmandat für Stadt und Land, das damals noch möglich war, verhalf dem jungen Politiker zu den erwünschten Erfahrungen über Abläufe in der Kommunalverwaltung, in Parlament und Regierung.

Er hat das parlamentarische Handwerk – was seine Kritiker oft übersehen – von der Pike auf gelernt. Das gilt für die Landesgesetzgebung im Schulwesen oder in der Krankenversorgung ebenso wie für einen kommunalen Haushalt, Methoden der Verkehrsplanung oder die Einrichtung städtischer Kläranlagen.

Mit dem Einzug in den Landtag 1959 begann für den 29jährigen aus Ludwigshafen die praktische Arbeit für das Kunstgebilde Rheinland-Pfalz. Das Land im Südwesten wurde drei Jahre eher als der Bund konstituiert, aber noch Ende der fünfziger Jahre konnte von einer Identifizierung der Bevölkerung mit Rheinland-Pfalz kaum gesprochen werden. Dem «Retortenland» aus Besatzungsauflagen und deutschen Absichten schien keine lange Lebensdauer bestimmt zu sein.

Der ungünstige Start des neuzugeschnittenen Bundeslandes ließ sich auch durch den Hinweis auf das «Hambacher Fest» von 1832 nicht mildern, dessen euphorische Forderungen Wilhelm Boden als Chef einer vorläufigen Regierung Ende 1946 in Erinnerung rief: «Hoch leben die Vereinigten Freistaaten Deutschlands. Hoch das conföderierte republikanische Europa!»

Die Gemeinschaft der Europäer sollte für die jungen Deutschen der Nachkriegsjahre – unter ihnen der angehende Politiker Helmut Kohl – einstweilen ein kühner Traum bleiben. In einem Gespräch mit dem französischen Fernsehen sagte Helmut Kohl fast 35 Jahre später, er sei sozusagen mit «europäischer Muttermilch» aufgezogen worden. Er gehörte zu jenen, die 1948 nach Weißenburg im Elsaß fuhren, dort Grenzpfähle ausrissen und mit jungen Franzosen feierten. Der Glaube, morgen komme Europa, habe sich zwar als Illusion erwiesen, «dennoch haben wir seither ein gewaltiges Stück Weg zurückgelegt».

Die ersten Enttäuschungen haben Helmut Kohl jedenfalls nicht entmutigt, sondern bestärkt, den europäischen Gedanken zu beleben. In diesem Sinne unterstützte er, nun schon in Parteifunktionen, die Außenpolitik von Bundeskanzler Konrad Adenauer, die auf Sicherung der Freiheit durch eine feste Westintegration angelegt war.

Der engagierte Landespolitiker Kohl, dem die Rolle des Kronprinzen schon bald nicht mehr streitig zu machen war, wußte, daß nur konsequente Strukturverbesserungen die Existenz des Bundeslandes sichern konnten. Das aber erforderte eine tragfähige politische Basis. Kohl, der im

Ludwigshafener Stadtrat den Fraktionsvorsitz übernahm und im Landtag kurze Zeit später zum stellvertretenden Fraktionsführer gewählt wurde, hielt immer Tuchfühlung mit der FDP. Er war fest entschlossen, auf dieser Basis die für das Land notwendigen Reformen durchzuführen.

Der junge Landespolitiker richtete nicht nur eine «Bürgerstunde» ein, in der jeder den Abgeordneten Dr. Kohl direkt ansprechen konnte, sondern berief später, als Ministerpräsident, auch einen «Ombudsmann», der sich der Eingaben und Anliegen der Landesbürger anzunehmen hatte.

Der politische Ideenreichtum des Fraktionsvorsitzenden in Mainz unterstrich dessen Führungsanspruch. Die von Kohl geforderte Strukturreform nach innen und außen fand in allen Schichten des Landes viel Zustimmung. Ihre langfristige Umsetzung ließ sich jedoch nur von einem Politiker verwirklichen, der das künstlich zusammengefügte Land im Südwesten der Bundesrepublik Deutschland auch zu integrieren vermochte. Dieser Mann konnte nur Helmut Kohl heißen. Und dieser Pfälzer war es auch, der sich entschlossen zeigte, Rheinland-Pfalz den Bürgern zu erschließen und als Einheit zu konsolidieren.

Die Neugestaltung des Landes stellte sich als eine historische Aufgabe dar, der sich Helmut Kohl siebzehn Jahre lang widmete. Er hätte den Prozeß gerne beschleunigt, doch dazu hätte es der Autorität eines Ministers oder Regierungschefs bedurft. Der Abgeordnete Kohl mußte sich gedulden. Peter Altmeier, seit 1947 Ministerpräsident und lange schon der Patriarch zu Mainz, hatte mit dem Abdanken keine Eile. Altmeier machte es dem 31 Jahre jüngeren Bewerber um den Chefsessel nicht eben leicht. Helmut Kohl mußte sich schließlich dazu durchringen, seine Zurückhaltung aufzugeben und kategorisch auf die Einhaltung des Versprechens zu pochen, das vorsah, daß Altmeier am 19. Mai 1969 sein Amt abgab.

Die Union hatte sich auch bei der 6. Landtagswahl im Jahre 1967 als stärkste Kraft erwiesen. Altmeier hatte die Koalition mit der FDP erneuert und gleichzeitig, wie auch von Kohl gefordert, die Kabinettsstruktur geändert. Die beiden jungen CDU-Bundestagsabgeordneten Bernhard Vogel und Heiner Geißler waren auf Kohls Betreiben Minister geworden.

Nach der Amtsübernahme ging der neue Mann an der Spitze der Landesregierung unverzüglich ans Werk. Er verordnete geradezu den Rheinland-Pfälzern mehr Selbstwertgefühl. Helmut Kohl, der seinen Besuchern mit Vorliebe die Wahrzeichen der «maxima vis imperii» in Speyer, Worms, Mainz, Trier und Koblenz zeigt, sieht in der Geschichtsbezogenheit eine wichtige politische Hilfe. Geschichtslosigkeit ist für ihn gleichbedeutend mit Gesichtslosigkeit.

Mit Kohls Wahl zum Ministerpräsidenten begann in Mainz eine Zeit heftigen Möbelrückens. Die für das Land recht leidvolle, tiefe Gräben aufreißende Schulfrage wurde mit der Gründung einer überkonfessionellen Erziehungswissenschaftlichen Hochschule und einer Verfassungsänderung gelöst, die die christliche Gemeinschaftsschule zur Regelschule bestimmte.

Die von ihm bereits als Fraktionsvorsitzenden in Angriff genommene Verwaltungsreform wurde, oft gegen den erbitterten Widerstand der Honoratioren und Mandatsträger, in mehreren Gesetzgebungsgängen verabschiedet und verwirklicht. Die Verwaltungen wurden gestrafft, die Instanzenwege verkürzt. Die Verlagerung amtlicher Zuständigkeiten nach unten erleichterte den Bürgern den Umgang mit Behörden.

Erstes Kabinett des Ministerpräsidenten von Rheinland-Pfalz, Mai 1969

Die Rheinland-Pfälzer begannen, ihr anfängliches Zaudern zu überwinden und landesbewußter zu werden. Die gelungene verwaltungstechnische Modernisierung des Landes und modellhafte soziale Reformen (Kindergartengesetz, Krankenhausreform) verhalfen Rheinland-Pfalz auch gegenüber den anderen Bundesländern zu mehr Gewicht.

Die für 1971 anberaumten Landtagswahlen sollten die Durchschlagskraft einer regenerationsfähigen CDU beweisen, die sich in Bonn seit Ende 1969 mit ihrer Oppositionsrolle nicht abfinden konnte. Kohl verzichtete auf die Methoden der herkömmlichen Werbung. Stattdessen motivierte er die Partei im Stile des amerikanischen «Canvassing»: Der Wähler wurde auf der Straße angesprochen und in seiner Wohnung aufgesucht.

Was nach der Landtagswahl im März 1971 viele als Überraschung empfanden, war für Helmut Kohl der erwartete Erfolg kämpferischer, aber auch solider Überzeugungsarbeit. Die Union setzte sich deutlich durch und sicherte sich mit fünfzig Prozent der abgegebenen Stimmen die absolute Mehrheit.

Eine schwere Niederlage erlebte dagegen die FDP, die in Bonn inzwischen mit der SPD regierte. Die Landes-FDP, die sich in ihrer Wahlaussage mit der SPD solidarisiert hatte, mußte zum ersten Mal seit zwanzig Jahren auf die Oppositionsbank. Doch auch in der Stunde des Wahlsiegs behielt Kohl einen kühlen Kopf. Er beließ der FDP – sicher im Sinne seiner bundespolitischen Ambitionen – einen festen Platz in der Mainzer Ministerialbürokratie. So diente Hans Friderichs, der spätere Bundeswirtschaftsminister der Bonner Regierung Brandt/Scheel, dem Landeskabinett Kohl weiterhin als beamteter Staatssekretär im Ministerium für Landwirtschaft, Weinbau und Umweltschutz.

Der Wahlerfolg erhöhte Kohls Popularität inner- und außerhalb der Landesgrenzen. Sein bürgernaher, unverschnörkelter und offener Regierungsstil imponierte allenthalben und hielt das Land weitgehend intakt. Rheinland-Pfalz zeigte sich viel weniger anfällig für Frustrationen und Staatsverdrossenheit als andere Regionen des Bundesgebietes.

Parteichef und Oppositionsführer

Das Jahr, in dem Helmut Kohl Kanzlerkandidat wurde, brachte dem damaligen Ministerpräsidenten von Rheinland-Pfalz kurz vor seinem 45. Geburtstag den höchsten Wahlsieg. Die CDU baute bei der Landtagswahl im März 1975 ihre absolute Mehrheit um fast vier Punkte auf nunmehr 53,9 Prozent aus. Der Stimmenanteil der SPD sank erstmals unter vierzig Prozent; die FDP schrumpfte auf 5,6 Prozent. Wilhelm Dröscher, der führende Kopf der Landesopposition und spätere SPD-Schatzmeister, nannte Helmut Kohl anerkennend und sicher nicht nur wegen dessen Körpergröße von 1,93 Metern einen «Baum unter lauter Büschen».

Um den dynamischen und erfolgreichen Ministerpräsidenten begann sich eine «Legende vom geborenen Gewinner» zu bilden, dessen Aufstieg in die Bundespolitik programmiert sei. Aber Kohl hütete sich vor den Launen des Glücks. Die Entscheidung, Mainz zu verlassen und nach Bonn zu gehen, traf er erst nach sorgfältiger Prüfung. Kohl konnte sich ausrechnen, daß eine Partei, die sich allzu sehr in Selbstmitleid und persönlichen Animositäten erschöpfte, nur schwer zu mobilisieren sein würde. Die Union litt noch immer unter dem Schock der Ablösung Kurt Georg Kiesingers als Bundeskanzler 1969 und des gescheiterten Versuchs 1972, die Regierung Brandt/Scheel durch das von Rainer Barzel betriebene Konstruktive Mißtrauensvotum zu stürzen.

Für Kohl war die Rückeroberung der Bonner Regierungsmacht nur mit einer programmatisch sicheren und fair mit sich umgehenden Partei denkbar. Auf Versammlungen erinnerte er oft an ein geflügeltes Wort Karl Arnolds: «Die

CDU ist nicht kaputtzukriegen, es sei denn durch sich selbst.» Sein stolzer Wahlsieg 1971 in Rheinland-Pfalz mit einer Prozenthöhe, wie man sie sonst nur von der CSU in Bayern gewohnt war, schien Kohl der richtige Auftakt für die Diskussion über die Nachfolge Kurt Georg Kiesingers als Parteivorsitzender zu sein. Sieben Monate nach dem absoluten Wahlsieg seiner Landes-CDU kandidierte Kohl auf dem Bundesparteitag 1971 in Saarbrücken gegen Rainer Barzel. «Wer etwas um der Sache willen tut, muß auch bereit sein, den Hut in den Ring zu werfen», sagte der 41jährige Landeschef damals, mehr auf Hoffnung als auf Zuversicht bauend. Kohl hatte Barzel gründlich unterschätzt. Der agile und wortgewandte Fraktionsführer und dessen Anhänger brachten eine breite Mehrheitsfront gegen den Mitbewerber zustande. Die Niederlage fiel entsprechend aus: Rainer Barzel setzte sich mit 344 zu 175 Stimmen gegen Helmut Kohl durch.

Das Thema Führungsstruktur hatte in Saarbrücken nur vordergründig zur Debatte gestanden. Barzel plädierte für die Zusammenlegung der beiden Spitzenämter in Fraktion und Partei. Damit war eine Vorentscheidung über die «Kardinalfrage» nach dem Kanzlerkandidaten verbunden; ein Thema, an dem sich die CDU immer begeistern konnte. Kohl hingegen sprach sich für Trennung der beiden Ämter aus, schon um dem neuen Parteivorsitzenden größere operative Möglichkeiten zu eröffnen, die Union wieder in die Offensive zu führen.

Der rheinland-pfälzische Ministerpräsident konnte seine Enttäuschung über die Abstimmungsniederlage nur schlecht verbergen; den Delegierten seines Landesverbandes erging

Helmut Kohl beim 91. Geburtstag Konrad Adenauers in Bonn 1967 ▷

es nicht anders. Aber Kohl war jung und doch erfahren genug, um mit dem Schicksal nicht lange zu hadern. Das Lehrstück in Saarbrücken zeigte ihm, daß seine Basis in der Partei zu klein gewesen war. Sie galt es nun zu erweitern. Kohl legte noch größeres Gewicht darauf, mit vielen Spitzenpolitikern der Partei enger in Kontakt zu kommen und genauere Informationen über die Stimmungslage in den Landesorganisationen zu erhalten.

Die bestehenden Verbindungen zu den Freien Demokraten wurden weiter gepflegt. So war er nicht nur über Entwicklungen im Bundesgebiet, sondern auch über die Vorgänge in Bonn recht genau im Bilde. Das erlaubte eine bessere Beurteilung der Lage. Kohl lehnte es schon damals ab, an den «Ewigkeitswert» des sozial-liberalen Bündnisses zu glauben. Doch er schätzte Dauer und Festigkeit des Regierungslagers realistischer ein als die Führung der Fraktion. Das Konstruktive Mißtrauensvotum gegen Bundeskanzler Brandt, das Barzel zum Kanzler machen sollte, stieß bei ihm auf Skepsis.

Rainer Barzel scheiterte. Der Scherbenhaufen konnte kaum größer sein. Bei den nachfolgenden Wahlen am 19. November erlebte die Union einen schlimmen Einbruch: CDU und CSU erhielten 44,9 Prozent der Wählerstimmen – das zweitschlechteste Ergebnis in ihrer bisherigen Parteigeschichte. Die SPD wurde größte Fraktion im Bundestag. Der Unions-Spitzenkandidat Barzel zog die Konsequenzen: Im Mai 1973 gab er den Fraktionsvorsitz an Karl Carstens ab, im Juni überließ er Helmut Kohl die Führung der Partei.

Der neue Vorsitzende ging, von seinem Ludwigshafener Schulkameraden und hinzugewählten Generalsekretär Kurt Biedenkopf unterstützt, unverzüglich daran, der Partei Mut zu machen, ihr neues Vertrauen einzuflößen und sie von tiefer Depression zu befreien. Die Union sollte nach vierjähriger Durststrecke wieder zu neuer Schlagkraft finden.

Während Helmut Kohl damit begann, die Partei ohne weiteren Zeitverlust programmatisch auf eine offensive und die Alternativen herausstellende Auseinandersetzung mit dem politischen Gegner einzustimmen, schuf Biedenkopf mit der technischen Modernisierung der Parteizentrale ein effektives Instrument für Überzeugungsarbeit in der Öffentlichkeit. Kohls kollegialer Führungsstil im Präsidium und im Bundesvorstand vermittelte ein neues «Wir-Gefühl», das lange verschüttet gewesen war. Die Partei insgesamt begann, wieder Zutrauen zu sich selber zu gewinnen. Sie wurde von Kohl in dem Eindruck bestärkt, wieder gefragt zu sein und bei politischen Entscheidungen mitzubestimmen.

Mit seinem Erneuerungskonzept führte Helmut Kohl die Union wieder zu den Kraftquellen ihres Ursprungs. Die CDU war ja unmittelbar nach dem Krieg als Partei neuen Typs entstanden, die sich von den herkömmlichen reinen Interessen- und Weltanschauungsparteien ausdrücklich unterscheiden wollte. Die Gründungsaufrufe und Leitmotive jener Tage enthielten mit ihren Bekenntnissen zu Toleranz, Offenheit, Kompromiß und Solidarität die wesentlichen Elemente einer modernen Volkspartei.

Nun wurde eine Kommission unter Leitung Richard von Weizsäckers mit dem Entwurf eines CDU-Grundsatzprogramms beauftragt. In die «Mannheimer Erklärung» von 1975 floß die von Kurt Biedenkopf und Heiner Geißler aufgeworfene «Neue soziale Frage» mit ein. Die CDU unternahm es als einzige Partei, der gesellschaftspolitischen «Sinnfrage» nachzugehen, die angesichts einer immer stärker schlingernden Wirtschaftsentwicklung immer größere Bedeutung zukam. Es gelang der CDU-Führung, zwischen

1972 und 1976 eine völlig veränderte Ausgangslage zugunsten der Unionsparteien zu schaffen.

Das zeigte sich auch am Mitgliederzuwachs. Waren der CDU zwischen 1954 und 1968 etwa 71 500 neue Mitglieder beigetreten, so schwoll diese Zahl innerhalb von acht Jahren (1969 bis 1977) um 361 000 auf insgesamt 664 200 Mitglieder an. Die Mitgliederstärke der beiden Unionsparteien und ihrer Vereinigungen zusammen überschritt bereits 1977 die Millionengrenze.

Von pessimistischer Grundstimmung und grüblerischem Kleinmut war denn auch bei der CDU kaum noch etwas zu spüren, als sie 1976 mit ihrem Kanzlerkandidaten Kohl zur Wahl antrat. Das erklärte Ziel der absoluten Mehrheit konnte nicht erreicht werden; dennoch wurden die Bundestagswahlen für die Partei zu einer Bestätigung des Aufwärtstrends und für Helmut Kohl zu einem großen persönlichen Erfolg. Die errungenen 48,6 Prozent der Wählerstimmen waren das beste Resultat seit dem Wahlsieg von 1957, mit dem Konrad Adenauer die absolute Mehrheit für die CDU/CSU errungen hatte. Die Prozenthöhe überraschte um so mehr, als die Unionsparteien den Wahlkampf aus einer seit 1972 erheblich geschwächten Oppositionsstellung heraus führen mußten. Die Wahl brachte zwar eine Neuauflage der bisherigen SPD/FDP-Regierungskoalition, das Ergebnis deutete aber einen Stimmungswandel in der politischen Landschaft an: Die Union hatte wieder Tritt gefaßt.

Zuvor schon hatte Kohl auf außenpolitischem Gebiet neue Weichen gestellt. Dies erfolgte bei der Auseinandersetzung um die Ratifizierung der Polen-Verträge im Bundesrat, der die bayerische Landesregierung als einzige nicht zustimmen wollte. Für Helmut Kohl stand in dieser Frage nicht nur das Ansehen des Parteivorsitzenden auf dem Spiel, sondern es ging auch um die Begradigung eines

Kurses, der nicht mehr zeitgemäß und von der Realität längst überholt war.

Der CDU-Vorsitzende und Kanzlerkandidat hatte darauf zu achten, daß ihm bei einem denkbaren Wahlsieg außenpolitisch nicht die Hände gebunden waren und er in der Ostpolitik über einen uneingeschränkten Spielraum verfügen konnte. So berief er sich auf das römische Recht: «Pacta sunt servanda» (Verträge sind einzuhalten). Unter seiner Führung werde die Union – so war die Übersetzung zu verstehen – vereinbarte außenpolitische Verträge strikt beachten. Franz Josef Strauß machte durch häufige öffentliche Wiederholung die lateinische Formel populär.

Die Gespräche mit der CSU auf Bundesratsebene und mit Außenminister Hans-Dietrich Genscher verliefen zäh, hektisch und dramatisch zugleich. Im März 1976 waren die Polen-Verträge mit den Verbesserungsvorschlägen der Union schließlich unter Dach und Fach. Helmut Kohl hatte seine leicht vergeßliche Partei nur noch daran zu erinnern, daß es der christlich-demokratische Außenminister Gerhard Schröder war, der 13 Jahre zuvor mit der Einrichtung einer Handelsmission in Polen die Bonner Außenpolitik gegenüber Osteuropa behutsam, aber unwiderruflich geöffnet hatte.

Nach den Bundestagswahlen 1976 übernahm Helmut Kohl den Vorsitz der CDU/CSU-Bundestagsfraktion. In Mainz rückte Bernhard Vogel als neuer Ministerpräsident von Rheinland-Pfalz nach.

Kohls Einzug in den Bundestag begleitete kein fröhliches Glockenspiel. Die verlorene Wahl, der Groll über den Bruderzwist mit der CSU bebten nach und verhießen dem Rheinland-Pfälzer, der aus der heimatlichen Wärme kam, eine steinige Wanderung in einer unfreundlichen parlamentarischen Landschaft. Kohl litt anfangs sichtlich darunter. Der Hauskrach in der Union – die Schwesterpartei CSU hatte ihre bundesweite Ausdehnung erwogen – und die Anlaufschwierigkeiten für den neuen Mann an der Spitze der halbwegs gekitteten Fraktion verdeckten die Tatsache, daß der Pfälzer bei der Bundestagswahl 1976 die sozialliberale Koalition an den Rand einer Niederlage gebracht hatte. Der Regierung Schmidt/Genscher war ein wirtschaftliches Zwischenhoch zu Hilfe gekommen, das, zusammen mit dem Kanzler-Bonus, Wirkung erzielt hatte. Die Vorwürfe der Opposition, die Regierung des «Krisenkanzlers» Schmidt sei für das weitere Ansteigen der Arbeitslosenzahl auf inzwischen über eine Million verantwortlich, schlug ebensowenig durch wie die Anklage des «Rentenbetrugs», die Heiner Geißler, seit 1977 CDU-Generalsekretär, erhob.

Noch während der Koalitionsverhandlungen der alten und neuen Partner sickerte durch, daß die im Wahlkampf versprochene Rentenanpassung zum 1. Juli 1977 nicht zu halten sei und um ein halbes Jahr verschoben werden müsse. Diese Nachkorrektur löste in der Öffentlichkeit einen Sturm der Entrüstung aus.

Für Kohl gab es kaum Zweifel: Die FDP löst sich entweder aus der Blockbildung mit der SPD oder beide Parteien geraten mit der Zeit so unter Druck, daß an ihren Rändern Bruchzonen entstehen und Wählerpotentiale wegrutschen. Er riet zu Geduld und Gelassenheit. Doch dieses Rezept fand nicht ungeteilten Beifall, zumal in einer Fraktion, in der viele alte Mitglieder, wie schon 1969 und 1972, es für einen unverdienten Betriebsunfall hielten, daß sie abermals auf die Oppositionsbänke verbannt waren.

Kohl hingegen richtete sich auf das Duell mit Helmut Schmidt ein. Das höhere Risiko lag dabei fraglos bei dem Mainzer Herausforderer. Seine Reputation in der Öffentlichkeit war zwar gestiegen, doch der Herrschaftsvorsprung eines mimischen und telegenen Talents wie Helmut Schmidt war nur schwer aufzuholen. Für Kohl verbarg sich hinter der Sorgfalt, mit der Schmidt durch Studium von Akten und Fakten Weltgeschichte ordnete, eine Art politische Bewegungsangst, die zugleich einen Mangel an Perspektive verdeckte.

Bevor der neue Fraktionschef parlamentarisch Fuß fassen konnte, überschlugen sich andere Ereignisse: Generalbundesanwalt Siegfried Buback wurde 1977 in Karlsruhe ermordet. Der Terrorismus versuchte den Aufstand gegen den Rechtsstaat. In der Bundesrepublik Deutschland griff lähmendes Entsetzen Platz.

Der Mord an Buback bildete den Auftakt für eine Anschlagsserie, die von terroristischen Zellen planmäßig inszeniert wurde. Sie stellte eine hinterhältige und brutale Antwort auf die Verurteilung der Gewalttäter Baader, Ensslin und Raspe dar, die wegen vier Morden und 23 Mordversuchen lebenslängliche Freiheitsstrafen erhalten hatten. Die Ermordung des Sprechers der Dresdner Bank, Jürgen Ponto, sowie die Verschleppung und Ermordung des Arbeitgeberpräsidenten Hanns-Martin Schleyer verschärften die Lage.

Kohl hatte mit dem Arbeitgeberpräsidenten kurz vor dessen Entführung über den Verhaltenskodex gesprochen, dem sich ein Politiker unterwerfen müsse, um eine Erpressung des Staates und der Demokratie durch Terroristen zu verhindern. Hanns-Martin Schleyer habe darauf bestanden, daß dies auch für ihn gelte, zumal er als Arbeitgeberpräsident eine demokratische Funktion erfülle.

Die Befreiungsaktion von Mogadischu rettete die Regierung Schmidt/Genscher. Der Kanzler hätte, wie er später bemerkte, seinen Rücktritt erklärt, wäre das riskante Unternehmen mit der Erstürmung der Lufthansa-Maschine «Landshut» durch das Kommando des Grenzschutzes gescheitert.

Helmut Kohl sah in den terroristischen Bedrohungen und Auswüchsen Symptome einer Staatskrise, die das Vertrauen in die Behauptungskraft der jungen Demokratie schwer erschüttern mußte, würde ihnen nicht mit allen Mitteln Einhalt geboten. Wer Gewalt verharmlose, verhalte sich ebenso rechtsfeindlich wie jene, die Schuld lieber bei den Opfern als bei den Tätern suchten. Kohl rief dazu auf, die geistigen Wurzeln einer abwegigen Gewaltideologie bloßzulegen.

Kohl suchte das Gespräch mit den Intellektuellen. Der Parteivorsitzende riet der Union, nicht über jene Kritiker zu Gericht zu sitzen, die sie auf ihre Fehler aufmerksam machen. Auf der anderen Seite gab es für ihn und für die CDU keinen Grund, ihrer eigenen wechselvollen, von Tief- und Höhepunkten gekennzeichneten Parteigeschichte zu entsagen. Für die CDU empfahl sich jedoch eine geistige Bestandsaufnahme, die ein Grundsatzprogramm widerspiegeln sollte. Die Ausarbeitung eines verbindlichen Programms war auch durch die ständig steigende Mitgliederzahl der CDU bedingt. Die Partei erhielt starken Zulauf aus allen Schichten, vor allem aus der Arbeiterschaft in den Großstädten.

Das Grundsatzprogramm wurde im Oktober 1978 auf dem 26. Bundesparteitag in Ludwigshafen verabschiedet. Der Text war nicht unumstritten. In den Diskussionen über das Verständnis der Grundwerte Freiheit, Solidarität und Gerechtigkeit gab es Kontroversen, ohne daß sich daraus Flügelkämpfe, etwa zwischen den Sozialausschüssen und der Mittelstandsgruppe, entwickelt hätten.

Kohl und von Weizsäcker hielten das Programm von Dogmatisierung frei. So heißt es in Punkt 11: «Jeder Mensch ist Irrtum und Schuld ausgesetzt. Diese Einsicht bewahrt uns vor der Gefahr, Politik zu ideologisieren. Sie läßt uns den Menschen nüchtern sehen und gibt unserer Leidenschaft in der Politik ein menschliches Maß.» Die Mehrheit der Delegierten folgte dem Vorsitzenden und dem Leiter der Kommission, die für eine offene und pluralistische Volkspartei plädiert hatten.

Der Weg in die Regierung

Seinen Bonner Reifeprozeß absolvierte Kohl in der Dürre der Oppositionslandschaft. Zwischen der Rolle des Regierungschefs in Mainz und des in kleiner Münze zahlenden Oppositionsführers in Bonn lag ein Unterschied wie zwischen Tag und Nacht. Er mußte sich einen anderen Arbeitsstil zulegen und die Fraktion darauf einstimmen. Das erwies sich als schwieriges Unterfangen. Die personelle und organisatorische Gliederung der Fraktion war jahrelang unangetastet geblieben. Privilegien und Pfründen einzelner Abgeordneter schienen eine Reform besonders in der Fraktionsführung nicht ohne weiteres zuzulassen.

Kohl wollte mit der Aufteilung von Verantwortung mehr Kreativität und organisatorisch einen höheren Wirkungsgrad erreichen. Aber das Konzept unterschätzte den Egoismus der Fraktionsmitglieder, von denen viele sich der jungen Autorität des neuen Vorsitzenden nicht unterzuordnen gedachten. Im Fraktionsvorstand tummelten sich schließlich zehn Stellvertreter; fast jede Arbeitsgruppe probte Politik auf eigene Faust. Der «fischpolitische Sprecher der CDU» wurde im Bonner Parlamentsviertel zu einem Spottwort.

Das Mißverständnis zwischen dem toleranten und liberalen Fraktionschef und den Abgeordneten, die sich mit Interviews und Sonntagsreden zu profilieren versuchten, konnte kaum größer sein. Kohl handelte sich den Vorwurf der Saumseligkeit ein. Im Schlafwagen komme man nicht an die Regierung, formulierte ein CDU-Abgeordneter und gab damit ein Signal für Angriffe auf den Fraktionsvorsitzenden. Unterschwellig schwangen bereits bekannte neuralgische Töne einer weiteren Personaldebatte über den neuen Kanzlerkandidaten mit.

Ein nervöser Drang zur Regierungsmacht sorgte in der Fraktion für ständige Unruhe. Das übertrug sich auch nach draußen. Die Union, die sich lieber an ihren Hauptfiguren reibt, als sich in harter politischer Tagesarbeit zu verzehren, mochte sich von Kohl nicht zu Gelassenheit und zäher Zuversicht überreden lassen. Die Zweifel an der Führungsqualität des Parteivorsitzenden wurden lauter, als vor der wichtigen Landtagswahl 1978 in Hessen feststand, daß die FDP auch diesmal nicht den Sprung aus dem Regierungsbündnis mit der SPD wagen würde und damit das erwünschte Signal für Bonn ausblieb. Kohls langfristige Strategie einer Wiederanbindung der Liberalen an die Union schien endgültig gescheitert.

Das alte Spiel der Schuldzuweisungen begann. Der frühere Generalsekretär Kurt Biedenkopf riet in einem Memorandum zu einer personellen Trennung der Ämter des Partei- und des Fraktionsvorsitzenden. Der Vorschlag des Ex-Generalsekretärs verursachte viel Aufregung. Auf dem im Frühjahr 1979 einberufenen Kieler Bundesparteitag konnte Kohl sich zwar behaupten, erhielt aber 123 Gegenstimmen. Seit dem Gründungsparteitag der CDU 1950 in Goslar war keinem Vorsitzenden so harte Schelte widerfahren.

Die dunklen Stunden in Kiel ließen ihn dennoch nicht resignieren. Wie immer in solchen gefährdeten Situationen besann er sich auf seine Behauptungskraft und den Willen, die Union aus dem Tal heraus und zum Sieg zu führen. Das schien ihm nur möglich, wenn er sich nicht durch weitere Personaldiskussionen beschädigen ließ und die Parteizügel fest in der Hand hielt. Den Energiegewinn konnte er in Partei und Fraktion investieren. Er sollte dazu verhelfen, die CDU noch kämpferischer als bisher auf die Landtags- und

Kommunalwahlen einzustimmen, andererseits die Vertrauensbasis in der Fraktion zu erweitern. An dieser Stelle der Partie entschloß sich Kohl zu einem klugen Schachzug: Er wählte das Königsopfer und verzichtete für seine Person auf eine neue Kanzlerkandidatur.

Aber die CSU war nicht bereit, den von Kohl vorgeschlagenen Ministerpräsidenten Ernst Albrecht als Bewerber um das Kanzleramt zu akzeptieren, sondern wollte ihrerseits den bayerischen Ministerpräsidenten Franz Josef Strauß ins Rennen schicken.

In einer denkwürdigen Fraktionssitzung am 2. Juli kam es dann nach einer über siebenstündigen Debatte, in der es auch an Spaltungsdrohungen nicht fehlte, zu einer Kampfabstimmung. Den wohl stärksten Eindruck hatte der erfahrene CSU-Abgeordnete Richard Stücklen mit einer Rede hinterlassen, in der er sich für Strauß als den «besten Mann» engagierte. Das Abstimmungsergebnis war eindeutig: 135 Fraktionsmitglieder – unter ihnen 52 Mandatsträger der CSU – votierten für Strauß, 102 für Albrecht.

Die Entscheidung der Fraktion löste bei vielen professionellen Beobachtern Verwunderung aus, keineswegs jedoch beim Oppositionsführer selbst. Schon Tage vor der spektakulären Sitzung hatte Kohl zu verstehen gegeben, daß sich seiner Meinung nach im Stimmungsbild der Fraktion eine deutliche Tendenz zugunsten von Strauß abzeichnete. Dennoch stand Kohl ehrlich und fest zu Albrecht. Und es war auch keine Blauäugigkeit, die ihn diesen Kandidaten favorisieren ließ, sondern die Beachtung objektiver Kriterien. Jüngste Umfragen hatten bestätigt, daß sich die Unionsparteien bei der Alternative Schmidt/Strauß keine Siegchance ausrechnen konnten. Eine vom Allensbacher Institut für Demoskopie vorgenommene Auswertung brachte für Strauß eine Ablehnungsquote in der Bevölkerung von fast fünfzig Prozent. Alternativ befragt, votierten 49 Prozent der CDU/CSU-Anhänger für eine zweite Kandidatur Kohls, aber nur 38 Prozent für eine Bewerbung von Strauß. Eine gesonderte Umfrage in Bayern förderte ein zweites erstaunliches Ergebnis zu Tage: Helmut Kohl kam auch bei den CSU-Anhängern mit 56 Prozent Zustimmung auf eine höhere Quote als Franz Josef Strauß (49 Prozent).

Obwohl der Fraktionsvorsitzende nicht an ein Wunder zu glauben vermochte und jenen nicht widersprach, die einen absoluten Wahlsieg von Strauß für einen kaum realisierbaren Traum hielten, sicherte er dem CSU-Vorsitzenden und neuen Kanzlerkandidaten umgehend nachhaltige Unterstützung zu. Kohl ging noch einen Schritt weiter: Der pfälzische suchte den bayerischen Löwen in seiner Höhle auf. Was ihm als Canossagang ausgelegt wurde und selbst in den Reihen der CDU auf Bedenken stieß, entsprang der klaren Absicht, unter allen Umständen die Geschlossenheit der Union zu wahren. Kohl festigte damit sein Rollenverständnis als «Integrator maximus», ohne sich vor Strauß zu tief zu verbeugen.

Der CDU-Politiker gewann über diesen Dialog auch an Vertrauen in der Fraktion. Das kleine und große Einmaleins der Rücksichtnahme auf die kleinere Schwesterpartei wurde von Helmut Kohl in einer Weise exerziert, die ihm auch aus dem weiß-blauen Bayern Zustimmung, sogar Freundschaft einbrachte. Wenn ein CDU-Politiker überhaupt mit Strauß reden und ihn vielleicht beeinflussen konnte, so war es Kohl.

Der «Friedensschluß» mit Strauß, von Kohl ohne Pathos als eine politische Männerfreundschaft auf der Grundlage gemeinsamer Interessen definiert, verschaffte dem CDU-

Vorsitzenden wieder größeren Bewegungsspielraum, sich auf die Zeit nach der Wahl einzustellen. Die CDU kämpfte bedingungslos für den CSU-Kanzlerkandidaten, aber das Ergebnis der Bundestagswahlen 1980 war schon programmiert. Es fiel sogar noch hinter letzte Prognosen zurück und wurde mit 44,5 Prozent eines der schlechtesten in der Geschichte der Unionsparteien. Mit Strauß waren die Unionsparteien gescheitert.

Aus der Wahl war die sozial-liberale Regierungskoalition nach dem Stimmenanteil gestärkt hervorgegangen. Die Liberalen hatten von der aufgeheizten Anti-Strauß-Stimmung am meisten profitiert. Dem Oppositionsführer jedoch sagte sein politischer Instinkt, der Wahlausgang werde der Regierung Schmidt/Genscher allenfalls eine Verschnaufpause gönnen. Kohl dachte wie einst Walther Rathenau an die «kommenden Dinge», über die der ehemalige Außenminister vor sechzig Jahren meditiert und geschrieben hatte: «Die Opfer, welche die kommende Zeit verlangt, sind härter, der Dienst ist mühevoller, der äußere Lohn geringer als im sozialen Reiche, denn es wird mehr als die Verleugnung materieller Werte verlangt ...».

Für den Oppositionsführer war die Zeit der «fixen Krisenmanager» vorbei. Was nun zur Debatte stand, hatte Kohl bereits 1977 in Berlin auf einem Forum zum Grundsatzprogramm der CDU formuliert: Die Wende ist möglich, und sie wird unausweichlich kommen.

Ein Jahr später nannte er in einer Rede vor dem Evangelischen Arbeitskreis der CDU/CSU die Lage der Regierung ausweglos. Wenn viele Bürger den Eindruck hätten, Politiker und Parteien stünden den Gefährdungen der Zeit hilflos gegenüber, dann auch deshalb, weil die Menschen intuitiv spürten – so Helmut Kohl –, «daß diese Regierung sich eher durchmogelt, auf Zeitgewinn spielt, ständig um Mehrheiten im Parlament und bei Wahlen bangt. Die Unsicherheit der Regierung greift über und verbreitet Unsicherheit in der Bevölkerung. Die Menschen spüren, daß es so wie bisher nicht weitergehen kann. Aber SPD und FDP, ängstlich und verzagt, fehlt der Mut zur Wahrheit und das heißt: der Mut auch zu unpopulären Entscheidungen. Die Regierungskoalition hat nicht nur abgewirtschaftet, sie hat sich selbst überlebt.»

Die «Wende», die Kohl schon Jahre zuvor proklamiert hatte, sollte erst nach der Bundestagswahl von Genscher verbal aufgegriffen und zu einem schicksalsträchtigen Begriff werden. Der FDP-Vorsitzende hatte – fast um den Preis der Existenz seiner Partei – lange mit der Abkehr von dem bisherigen Koalitionspartner SPD gezögert. Er hätte der FDP viel erspart, wäre er, zum Beispiel, nicht der rheinland-pfälzischen Landespartei in den Arm gefallen, die «angesichts der immer schwieriger werdenden Haushaltslage» der von Bernhard Vogel geführten CDU-Regierung beispringen wollte. Aber Genscher zauderte, und Kohl war nicht mehr willens, auf angebliche Absprungsignale zu reagieren.

Doch nach dem Münchener Parteitag der SPD im Frühjahr 1982, der Genscher in seiner Einschätzung bestärkte, der Kanzler sei sowohl in der Wirtschafts- als auch in der Sicherheitspolitik noch mehr in die Isolation geraten, war der Punkt gekommen, an dem sich – wie der FDP-Vorsitzende konstatierte – «die Sachen ihre eigene Mehrheit suchen».

Der Koalitionswechsel setzte die FDP der härtesten Zerreißprobe in ihrer Geschichte aus. Am 1. Oktober 1982 fiel die endgültige Entscheidung. Bundeskanzler Schmidt wurde durch ein Konstruktives Mißtrauensvotum abgelöst. Der sechste Bundeskanzler der Bundesrepublik Deutschland hieß Helmut Kohl, mit 52 Jahren war er zugleich der jüngste unter den bisherigen Regierungschefs in Bonn.

«Wir Pfälzer hören und sehen weder Geister noch Träume», schrieb einmal die berühmteste Landesfrau Liselotte von der Pfalz aus Paris nach Hause. Dieser Satz könnte auch von Helmut Kohl stammen. Er entspricht seinem fertigen Sinn für Realitäten. Der CDU-Vorsitzende hatte keine Zeit vergeudet, die Partei und sich selbst innerlich und äußerlich auf die Übernahme der Regierungsverantwortung vorzubereiten.

Kohl hatte schon immer große Lernfähigkeit unter Beweis gestellt. Seine umgängliche und freimütige Art kam ihm dabei zustatten. So gelang ihm zu Beginn der 70er Jahre während einer Amerikareise fast spielend der Einstieg in das schwer zugängliche Establishment der Ostküste, das die Regierungspolitik in Washington wesentlich beeinflußt. Der CDU-Politiker konferierte später mit dem Chinesen Deng Xiaoping, führte in Moskau ein langes, unkonventionelles Gespräch mit dem sowjetischen Ministerpräsidenten Alexej Kossygin, traf von John F. Kennedy bis Ronald Reagan mit allen amerikanischen Präsidenten zusammen.

Der Pfälzer schätzt intensive Gespräche. So dienten Unterhaltungen mit Bürgern in der DDR an Ort und Stelle ebenso der eigenen Meinungsbildung wie der angeregte Gedankenaustausch mit dem sowjetischen Botschafter Wladimir Semjonow im Privathaus Kohls in Ludwigshafen-Oggersheim.

Der CDU-Vorsitzende gilt als ein rastloser Arbeiter, dem die Zeit rund um die Uhr zur politischen Gestaltung dient. Er verhält nicht gern im «Dunkel des gelebten Augenblicks», das Ernst Bloch (dessen Ludwigshafener Ehrenbürgerschaft er unterstützte) so irritierte; Kohl zieht viel lieber Vorhänge auf. Er ist der Typ, für den es in Wahrheit kaum Schöneres gibt als die Selbstausbeutung – wenn es sein muß, bis zur Erschöpfung. Auch das zählt für ihn zu den Tugenden persönlicher Entfaltung.

Mit dem von ihm vorgelegten Tempo ist oft schwer Schritt zu halten. Das spüren vor allem seine engsten Mitarbeiter. Aber sie zehren auch von seiner Loyalität. Für sie stimmt, was sie nach der Bonner Wachablösung in der Presse lesen konnten: Bundeskanzler Helmut Kohl und der pfälzische Fußball-Genius Fritz Walter haben ein Prinzip gemeinsam, und das heißt: Nichts für mich – alles für die Mannschaft.

Nach dem Patriarchen Adenauer, dem Wirtschaftswunder-Mann Erhard, dem Moderator Kiesinger, dem Reformer Brandt und dem Krisenmanager Schmidt gelangte mit Kohl ein Politiker an die Regierungsspitze, der seinen bewußten Lebensweg fast zeitgleich mit dem Neubeginn der deutschen Demokratie antrat: Ein Inspirator für eine Gesellschaft mit menschlichem Antlitz.

Der Kanzler

Der Mann, der Kurs hält

Ein neuer Bundeskanzler ist für Bonner Pressekorrespondenten, die zu einem erheblichen Teil zur öffentlichen Meinung über einen Politiker beitragen, ein lohnendes Ziel für geistreiche Formulierungen und heimliche Giftpfeile. Über Helmut Kohl waren sie im Herbst 1982 mit ihrem Urteil schnell zur Hand. Nach überwiegender Ansicht schien er gegenüber dem weltläufigen Helmut Schmidt ein unbeholfener Provinzler, der allzu leicht in Fettnäpfchen tritt. Eine lange Regierungszeit sagte ihm kaum ein Journalist voraus, große Erfolge als Kanzler schon gar nicht.

Heute, nach achtjähriger Amtszeit, wissen es die Journalisten besser. Abschätzige Kommentare zur Person des Kanzlers findet man kaum noch. Die Erfolge seiner Regierung sprechen für sich.

Helmut Kohl ist auf den ersten Blick kein charismatischer Politiker, der Massen mit Worten und Gesten mitreißen kann und will. Erst recht geht ihm jede demagogische Ader ab. Es wird ihm als Handicap ausgelegt, wenig «telegen» zu sein und auf dem Fernsehbildschirm nicht besonders gut anzukommen. In einer Zeit, in der politische Information weitgehend über das Fernsehen verbreitet wird, ist das ein Nachteil. Doch den gleicht Helmut Kohl dadurch mehr als aus, daß er im häufig so aufgeregten Politikbetrieb von Bonn Ruhe und Gelassenheit ausströmt. Wer ihm je persönlich begegnet ist, in einer Wahlveranstaltung oder im persönlichen Gespräch, spürt die Menschlichkeit, die von ihm ausgeht, spürt sein ausgeglichenes Temperament, sein Vertrauen zu sich selbst und zur Sache, für die er sich einsetzt.

Bundeskanzler Helmut Kohl im Bundestag (1986)

Bei Bundeskanzler Kohl fällt die Beharrlichkeit auf, mit der er an politischen Prinzipien festhält und die Grundlinien seiner Politik auch gegen heftige Widerstände durchsetzt. Er will vor der Geschichte bestehen können. Das schließt die vorübergehende Hinnahme zunächst nicht veränderbarer Umstände nicht aus. Helmut Kohl ist ein zu erfahrener und kluger Politiker, um mit dem Kopf durch die Wand gehen zu wollen. Aber ständig das noch weite Ziel im Auge zu behalten, die besten Wege dorthin vorauszuspüren und kräftig zur schließlichen Realisierung günstigerer Umstände beizutragen, das ist eine Kunst, die Helmut Kohl wie nur wenige Staatsmänner beherrscht. Dieses Abwarten-Können hat ihm zeitweise den Vorwurf eingebracht, er löse Probleme gerne durch «Aussitzen». Wer dies behauptet, kennt nicht seinen methodischen Arbeitsstil und seine Beharrlichkeit.

Bundeskanzler Kohl ist ein rationeller Leser, der sich aus Akten rasch und umfassend informieren kann. Lieber aber noch sucht er das Gespräch mit Vertrauten, auch mit dem «Mann auf der Straße», für den er stets den richtigen, zuweilen herzlich-humorvollen Ton findet. Der Griff zum Telefon, um mit einem Politiker oder Wirtschaftsexperten, aber auch mit US-Präsident George Bush oder Michail Gorbatschow im Kreml ein gerade aktuelles Problem zu besprechen, ist bei ihm eine normale und häufige Aktion.

Der Bundeskanzler behauptet nicht von sich, Spezialist in allem und jedem zu sein, sondern er empfindet sich eher als Chef eines Teams. So läßt er seinen Ministern viel freie Hand – im Rahmen der Richtlinien selbstverständlich, mit denen er den politischen Kurs und die Erfüllung des Regierungsprogramms bestimmt.

Das Predigen einer künftigen heilen Welt liegt Helmut Kohl nicht, dazu ist er viel zu sehr Realist. Doch der an allem verzweifelnden «Null-Bock-Stimmung», wie sie Ende der siebziger, Anfang der achtziger Jahre in «linksintellektuellen» Kreisen der Bundesrepublik Deutschland Mode war, hat er sich energisch entgegengestemmt. Heute ist diese Stimmung neuem Optimismus, Zuversicht und der Bereitschaft zum Zupacken gewichen – ein Spiegelbild der guten Wirtschaftslage, aber auch der so überraschend zum Besseren gewendeten politischen Entwicklung in Europa und der Welt. Es wird sich schwer definieren lassen, wie groß Helmut Kohls persönlicher Anteil an diesem Stimmungsumschwung war – gering aber war er gewiß nicht.

Helmut Kohl ist von Jugend an nie doktrinär gewesen, sondern ein Pragmatiker, allerdings einer mit festen Grundüberzeugungen. Daß er die von ihm geleitete Regierung «Koalition der Mitte» nannte, entspricht seiner Ablehnung eifernder Extreme, sowohl links wie rechts. Der Staat hat nach Kohls politischer Philosophie die Aufgabe, die Leistungs- und Risikobereitschaft des Einzelnen und den Wettbewerb zu fördern. Gleichzeitig muß der Staat für die Einhaltung sozialer Gerechtigkeit und Solidarität sorgen, jedoch auch hier hat Eigenverantwortung vor Staatsverantwortung zu gehen. Nach außen gehört es zu Kohls Maximen, daß die Bundesrepublik Deutschland nie einen Zweifel daran erlauben dürfe, ein fester Bestandteil der westlichen Wertegemeinschaft und ein zuverlässiger Partner in der europäischen Schicksalsgemeinschaft zu sein. Jeder Anschein eines Schwankens, eines nationalen Alleinganges oder eines Versuchs, zu altem deutschen Machtstreben zurückzukehren, wäre für das Ansehen höchst gefährlich, das sich dieser freieste Staat in der deutschen Geschichte in vierzigjähriger politischer Kontinuität in der Welt erworben hat.

Mit diesen Anschauungen, die dem Programm seiner Partei, der CDU, seit jeher entsprechen, ging Bundeskanzler Kohl in zwei Bundestagswahlkämpfe, im März 1983 und im Januar 1987. So geht er auch in die erste gesamtdeutsche Wahl 1990.

Die erste Wahl wurde von ihm gegen manchen Rat und Hindernisse herbeigeführt. Das «konstruktive Mißtrauensvotum» des Bundestages im Oktober 1982 hatte Helmut Kohl an sich durch das Zusammengehen der FDP mit den Unionsparteien eine ausreichende Mehrheit im Parlament verschafft. Aber dieser neuen Regierung fehlte nach Kohls Überzeugung die demokratische Legitimation, die nur eine Wahl verschaffen kann. Da das Grundgesetz im Normalfall keine Selbstauflösung des Bundestages zuläßt, mußte Kohl zu dem juristisch umstrittenen Mittel greifen, sich in einer

Vertrauensabstimmung des Bundestages das Mißtrauen einzuholen; die Koalitionsabgeordneten enthielten sich der Stimme. Daraufhin konnte der Bundespräsident den Bundestag auflösen und eine Neuwahl ansetzen.

Die Märzwahl 1983 gewann Helmut Kohl mit einem der besten Ergebnisse in der Geschichte der Unionsparteien (CDU/CSU 48,8 Prozent, FDP 7 Prozent). Die SPD als Hauptgegner sackte auf 38,2 Prozent ab. Die Grünen errangen 5,6 Prozent der Stimmen. Die nächste Wahl, nun wieder im Vierjahresrhythmus 1987 folgend, fiel für die Union nicht ganz so gut aus. Allerdings stand der Sieg der Koalition der Mitte nie ernsthaft in Frage. Mit 44,2 Prozent blieben CDU und CSU hinter dem Traumergebnis von 1983 zurück, der Koalitionspartner FDP kletterte auf 9,1 Prozent. Doch noch enttäuschender war das Wählervotum für die SPD unter ihrem damaligen Kanzlerkandidaten Johannes Rau, dem Ministerpräsidenten von Nordrhein-Westfalen. Nur 37 Prozent stimmten für sie, 8,3 Prozent für die Grünen.

Erst in dieser zweiten Regierungsperiode konnte Bundeskanzler Kohl die auf vielen Gebieten von Helmut Schmidt übernommene «Erblast» wirklich überwinden. Erst jetzt stellten sich für jedermann sichtbare Erfolge ein. Günstige Umstände in der Wirtschaft und in der Weltpolitik kamen Kohl dabei zu Hilfe. Aber daß die deutsche Politik auf diese Veränderungen sofort angemessen reagieren und sie für die Bundesrepublik Deutschland in Ergebnisse ummünzen konnte, mit denen niemand gerechnet hatte, das war nicht zuletzt das Verdienst des Kanzlers.

Im Rückblick auf nunmehr acht Jahre Kanzlerschaft Helmut Kohls lesen sich die bedeutendsten Ergebnisse auf den wichtigsten Gebieten der bundesdeutschen Politik wie eine Erfolgsstory. Dabei verschwimmen naturgemäß die Einzelheiten der mühsamen Alltagsarbeit eines Regierungschefs, der dafür zu sorgen hat, daß der richtige Kurs auch eingehalten wird, allen Rückschlägen, Pannen und Enttäuschungen zum Trotz. Die hat es selbstverständlich auch gegeben. Die Höhen und Tiefen auch für Helmut Kohl persönlich treten zurück gegenüber den objektiven Resultaten.

Den Wohlstand gesichert

Kanzler Kohl hatte 1982 von seinem Vorgänger große Probleme übernommen. Die schwerste «Erblast» war die beängstigende wirtschafts- und finanzpolitische Lage. Die Wirtschaft stagnierte und die Produktion war rückläufig, weil Vertrauen fehlte und die Investitionstätigkeit durch zu hohe Steuern geschwächt war. Gleichzeitig stiegen die Preise. Die Folge war eine wachsende Arbeitslosigkeit; jeder 14. Erwerbstätige war ohne Arbeit. Der Bund mußte zum Ausgleich seines Haushalts einen enormen Schuldenberg auftürmen.

Gewiß hatte Bundeskanzler Schmidt darauf verweisen können, daß eine weltweite Wirtschaftskrise in der zweiten Hälfte der siebziger Jahre eben auch die Bundesrepublik Deutschland erfaßt hatte. Aber die Probleme waren durch sozialistische Experimente der SPD-Regierungsmehrheit in Bonn unnötig verschärft worden. Man wolle im Sinne sozialer Umverteilung «die Belastbarkeit der Wirtschaft erproben», hatten einige Dogmatiker unter den SPD-Abgeordneten seit 1969 als Parole ausgegeben. Helmut Kohl mußte in seiner ersten Regierungserklärung 1982 darauf verweisen, Leistung lohne sich für die Beschäftigten kaum noch, weil schon dem Facharbeiter von jeder hinzuverdienten Mark 60 Pfennig weggesteuert würden.

Erst im Rückblick wird das völlig andere Wirtschaftsklima deutlich, das 1982 im Vergleich zu heute herrschte. Ein Mittel zum Gegensteuern sollte nach der Überzeugung Bundeskanzler Kohls eine große Steuerreform in mehreren Stufen sein, die den meisten Steuerzahlern erhebliche Entlastungen zu bringen versprach und Anreize für persönliche Leistungen und innovative Investitionen bieten sollte. Die SPD-Opposition malte die Folgen dieser Steuerreform in den schwärzesten Farben und leistete heftigen parlamentarischen Widerstand, allerdings vergebens.

Heute steht fest, daß die Steuerreform die öffentlichen Einnahmen nicht verminderte, sondern als Motor der Konjunktur dazu beiträgt, die Steuerquellen reichlicher denn je sprudeln zu lassen – bei gesenkten Steuersätzen. Im Jahr 1990 geht es der bundesdeutschen Wirtschaft so gut wie nie zuvor. Die Inflationsgefahr ist gebremst. Seit sieben Jahren in ununterbrochener Folge wächst die Wirtschaft. Die Arbeitslosenzahl nimmt ab, wobei zu berücksichtigen ist, daß es einen nicht unbeträchtlichen «Sockel» von Arbeitslosen gibt, die aus Gründen ihres Alters, Gesundheitszustandes und Ausbildungsniveaus nur schwer vermittelbar sind. Gleichzeitig schuf die deutsche Wirtschaft seit 1982 über zwei Millionen Arbeitsplätze zusätzlich, mußte darin allerdings auch ein Heer neuer Arbeitssuchender aus der «stillen Reserve» bisher nicht erwerbstätiger Frauen und den Aus- und Übersiedlern unterbringen. In vielen Branchen der westdeutschen Wirtschaft herrscht heute Arbeitskräftemangel.

Eine allgemeine Wende der Weltkonjunktur ab etwa 1983 hat zu diesem Erfolg beigetragen. Aber es gibt zu denken, daß in kaum einem anderen westlichen Industrieland sich diese Entwicklung so positiv und nachhaltig ausgewirkt hat wie in der Bundesrepublik Deutschland.

Diese heutige gute Wirtschaftslage erlaubt es, den ungeheuren finanziellen Anforderungen relativ gelassen entgegenzusehen, die die deutsche Einheit und die jüngsten politischen Veränderungen in Mittel- und Osteuropa und in der Sowjetunion an Deutschland stellen werden.

Politik für die Menschen

Helmut Kohl wäre nicht der christlich-demokratische Politiker, der er von früher Jugend an war, wenn er nicht in seiner Regierungszeit als Bundeskanzler dafür gesorgt hätte, daß nicht nur «der Schornstein der Wirtschaft raucht», sondern gleichgewichtig auch eine Politik für die Menschen gemacht wurde. Eine schöpferische Sozialpolitik mit verschiedenen grundlegenden Reformen hat von Anfang an in Helmut Kohls Regierungsprogramm gestanden. Die geplanten Reformen wurden vollendet, soweit derartige Regelungen in einer Welt, die sich ständig wandelt, überhaupt je abgeschlossen sein können.

Durch die von der Regierungskoalition gemeinsam mit der SPD im Bundestag verabschiedete Rentenreform wurde die Zahlung der Altersrenten langfristig gesichert, trotz der voraussehbaren Verschiebung in der zahlenmäßigen Stärke der Generationen. Der Geburtenrückgang in der Bundesrepublik Deutschland und die gleichzeitig steigende Lebenserwartung, also die starke Zunahme älterer, nicht mehr im Arbeitsprozeß stehender Menschen, zwangen zu einer Neuordnung der finanziellen Belastungen in dem

Generationenvertrag, der Grundlage der Rentenversicherung. Die erzielte Regelung erhält das bewährte Prinzip der dynamischen Rente aufrecht, das heißt die regelmäßige Anpassung der Rentenhöhe an die durchschnittlichen Lohnzuwächse der deutschen Arbeitnehmer. Gleichzeitig nimmt sie darauf Rücksicht, daß die erwerbstätige Bevölkerung nicht mit ständig steigenden Beiträgen für die Rentenversicherung belastet wird.

Eine zweite notwendige Reform betraf das Gesundheitswesen. Dessen Kosten waren in den letzten zwanzig Jahren explodiert und belasteten die zum Ersatz verpflichteten Krankenversicherungen über ein erträgliches Maß hinaus. Gegen den lebhaften Widerstand von Interessenverbänden der Pharmaindustrie, der Ärzte, Apotheker usw. konnten Kostenbegrenzungen durchgesetzt werden, die sich für die Versicherten – fast die gesamte erwachsene Bevölkerung – und die Krankenversicherungen entlastend auswirkten. Weitere Reformen im Gesundheitsbereich sind für die nächsten Jahre vorgesehen.

Für Helmut Kohl und die Unionsparteien ist die Familienpolitik ein Kernstück ihrer politischen Identität. Die Erwerbstätigkeit und die häusliche Tätigkeit der Frauen und Mütter werden als gleichwertig anerkannt. Eine neue Familienpolitik war daher eine der ständigen Forderungen Kohls, als er noch Oppositionsführer war.

In den acht Jahren der bisherigen Amtszeit Helmut Kohls konnte die Bundesregierung entscheidende Fortschritte bei der Stärkung von Ehe und Familie erzielen. Mütter (oder auch Väter) erhalten für anderthalb Jahre nach der Geburt eines Kindes einen «Erziehungsurlaub» mit einem staatlichen Erziehungsgeld und die Garantie der Rückkehr auf den alten Arbeitsplatz. Zugleich wurde jedem erziehenden

Elternteil, also meist den Müttern, für jedes Kind ein Jahr, ab 1992 drei Jahre, als zusätzliche Versicherungszeit in der Rentenversicherung gutgeschrieben. Dadurch konnte die Altersversorgung von Millionen Frauen verbessert werden, viele Frauen erwarben so erstmals einen eigenen Rentenanspruch. Außerdem wurden Familien mit Kindern durch erhebliche Steuererleichterungen wirtschaftlich gestärkt.

Politik für den Menschen ist nach Ansicht Bundeskanzler Kohls auch die Sicherung und Bewahrung der natürlichen Lebensgrundlagen. «Die Schöpfung bewahren – die Zukunft gewinnen», so hatte er seine Regierungserklärung von 1987 überschrieben.

Hier hat die von Helmut Kohl geführte Regierung in acht Jahren ganz entscheidende Fortschritte erzielt, zumal nach der Bildung eines eigenen Umweltministeriums im Jahr 1986. Nur einige besonders herausragende Ergebnisse seien hier genannt. In der Reinhaltung der Luft konnte die Bundesrepublik Deutschland auch im internationalen Maßstab ein besonders hohes Niveau erreichen. Die Schwefelbelastung durch Abgase von Kraftwerken, aber auch der Schadstoffausstoß aus den Motoren von Kraftfahrzeugen wurde erheblich gesenkt, unter anderem durch die Einführung von bleifreiem Benzin und Katalysatoren. Die Abwasserreinigung wurde erheblich verbessert. Die wachsenden Müllberge sollen in Zukunft durch gesetzliche Maßnahmen verringert werden.

Die SPD rückt nach der Katastrophe im sowjetischen Atomkraftwerk Tschernobyl in fast panischer Hast von ihrer lange vertretenen Linie ab, die Energieversorgung der Bundesrepublik Deutschland wenigstens zu einem erheblichen Teil mit Hilfe der Kernenergie sicherzustellen. Für Bundeskanzler Kohl und seine Regierungskoalition bleibt aber wenigstens mittelfristig die Energieerzeugung in Kernkraftwerken umweltpolitisch und volkswirtschaftlich unverzichtbar, allerdings nur in solchen Anlagen, die wie die bundesdeutschen mit den im internationalen Vergleich wirksamsten Sicherungen gegen den Austritt von Radioaktivität versehen sind.

Ein loyaler und aktiver Partner des Westens

Ein schweres Erbe mußte Bundeskanzler Kohl 1982 in der Europapolitik antreten, sicher nicht allein durch Verschulden seiner Vorgängerregierung. Die Europäische Gemeinschaft der damals zehn Mitgliedsstaaten war schwung- und perspektivenlos geworden, man stritt sich über die Finanzierung von Milchseen und Fleischbergen. Der neue Bundeskanzler brachte die feste Überzeugung in die Regierungsarbeit ein, daß nur ein dynamisches und einiges Europa Zukunft habe. Es müsse sein spezifisches Gewicht in der Welt neu bestimmen und für das Gleichgewicht der weltpolitischen Kräfte zu einem wichtigen Faktor werden. Für die Bundesrepublik Deutschland schloß er dabei jeden Versuch einer Sonderrolle in diesem Europa nachdrücklich aus. Sie müsse ein loyaler, aber auch ein aktiver Teil im gesamten Europa sein.

Nicht zuletzt Kohls geschickte wie energische Initiativen, so bei den europäischen Gipfeltreffen der Jahre 1982 bis 1990, haben dazu beigetragen, den toten Punkt in der europäischen Entwicklung zu überwinden.

Nunmehr, im Jahr 1990, bereiten sich die zwölf EG-Mitglieder intensiv auf das Inkrafttreten des völlig freien europäischen Binnenmarktes für Menschen, Güter, Kapital und Dienstleistungen zum 1. Januar 1993, auf eine europäische

Frankreichs Präsident François Mitterrand und Bundeskanzler Helmut Kohl in Bonn 1988

Bundeskanzler Kohl zu Besuch bei US-Präsident George Bush in Washington 1990

Währungsunion und auf die Verfassung einer Europäischen Union vor. Die Finanzprobleme der landwirtschaftlichen Überschüsse sind weitgehend verschwunden, und in weltpolitischen Fragen hat sich ein solidarisches Verhalten der Zwölf und ein Instrumentarium zur Darstellung dieser Einheit herausgebildet. Kohls beharrliches Streben nach größerer europäischer Gemeinsamkeit hat Früchte getragen.

Ein wichtiger Antrieb für diese positive europäische Entwicklung war die besonders enge Beziehung der Bundesrepublik Deutschland zu Frankreich. Helmut Kohl konnte sich dabei auf den einst zwischen Adenauer und de Gaulle geschlossenen «Elyséevertrag» stützen, vor allem auf die regelmäßigen Konsultationen mit dem französischen Staatspräsidenten. In den Zeiten der sozialdemokratischen Bundeskanzler Brandt und Schmidt waren diese Treffen mitunter zu lustlos absolvierten Pflichtübungen geworden. Zwischen Kohl und dem Präsidenten Frankreichs, dem Sozialisten François Mitterrand, entwickelte sich ein freundschaftliches Vertrauensverhältnis.

Sichtbarster Ausdruck dieser Freundschaft, aber auch der endgültigen Überwindung der angeblichen deutsch-französischen «Erbfeindschaft» war der «Händedruck von Verdun» am 22. September 1984. Vor dem Totenmal für Hunderttausende deutscher und französischer Soldaten, die dort im Ersten Weltkrieg als Gegner gefallen waren, verharrten Helmut Kohl und François Mitterrand bei einer gemeinsamen Feierstunde Hand in Hand, während die beiden Nationalhymnen erklangen.

Für Bundeskanzler Kohl ist die enge Bindung der Bundesrepublik Deutschland an Frankreich und die unauflösliche Zugehörigkeit zu einem Europa, das zu einer staatlichen Union zusammenwachsen will, keine Haltung der

Exklusivität, im Gegenteil. Schon in seiner ersten Regierungserklärung von 1982 machte Helmut Kohl deutlich, daß die Mitgliedschaft der Bundesrepublik Deutschland in der NATO und die Freundschaft mit den Vereinigten Staaten ein Fundament deutscher Außen- und Sicherheitspolitik ist und bleiben wird. Die NATO ist für ihn nicht ein bloßes Zweckbündnis, sondern eine Wertegemeinschaft. In dieser Gemeinschaft verbinden sich «die Grundwerte unserer freiheitlichen Verfassung, für die wir stehen, die wirtschaftlich-soziale Ordnung, in der wir leben, und die Sicherheit, die wir brauchen.»

So hatten die Pflege und der Ausbau einer vertrauensvollen Partnerschaft mit den USA stets einen besonderen Rang in der Regierungspolitik Kohls, wie selbstverständlich bei allen bisherigen Kanzlern der Bundesrepublik Deutschland. Helmut Schmidt ging gelegentlich den amerikanischen Präsidenten durch seine Art als «Schulmeister» oder gar als «Feldwebel» auf die Nerven. Helmut Kohl kann jedoch mit Genugtuung von sich sagen, bei den Präsidenten Ronald Reagan und George Bush stets als verläßlicher Freund gegolten zu haben, mit dem man auch Meinungsverschiedenheiten, wie sie zwischen unabhängigen Nationen ab und zu auftauchen, in Offenheit und ohne Verstimmung besprechen kann. Dieses Vertrauensverhältnis war außenpolitisch die entscheidende Voraussetzung, daß die Wiedervereinigung Deutschlands so reibungslos gestaltet werden konnte.

Für Frieden in Freiheit und für gute Nachbarschaft

Ende 1982, als Helmut Kohl das Steuer der Bonner Regierung übernahm, stand die Weltpolitik noch in einer

Phase mit ungewissem Ausgang. Die Ost-West-Konfrontation war in vollem Gange, wenn es auch schon längst auf vielen Ebenen sachliche Zusammenarbeit durch den «Eisernen Vorhang» hindurch gab. Damals, noch zu Lebzeiten Leonid Breschnews, dauerte die sowjetische Besetzung Afghanistans an und sorgte für internationale Spannung. Vor allem der Streit um Auf- und Abrüstung bestimmte das Weltklima.

Im Jahre 1979 hatte die NATO ihren berühmten «Doppelbeschluß» gefaßt, mit ausdrücklicher Zustimmung durch die Regierung der Bundesrepublik Deutschland unter Kanzler Schmidt. Als Antwort auf die ständig weitergehende sowjetische Nuklearrüstung kündigte die NATO darin eine Modernisierung und damit Verstärkung der amerikanischen Mittelstreckenraketen in Westeuropa, also auch in der Bundesrepublik Deutschland, im Jahr 1983 an. Davon würde sie Abstand nehmen, und dies war der wichtige zweite Punkt des «Doppelbeschlusses», wenn bis dahin die Abrüstungsverhandlungen in Wien zu einer erheblichen und gleichgewichtigen Abrüstung der Mittelstreckenraketen in Europa auf beiden Seiten der Trennungslinie geführt hätten.

Innenpolitisch hatte die Zustimmung Bundeskanzler Schmidts zu diesem NATO-Beschluß eine erhebliche Belastung bedeutet. Viele in der SPD und im linken Spektrum der Bevölkerung der Bundesrepublik Deutschland protestierten energisch dagegen, beeinflußt durch eine weltweite «Friedenskampagne», die die westliche Raketenrüstung für überflüssig und friedensfeindlich hielt, aber zur gleichartigen und vorangegangenen sowjetischen Rüstung schwieg. Es gab in der Bundesrepublik Deutschland Massendemonstrationen gegen die «Nachrüstung», und die zunehmend dagegen aufgebrachte Stimmung innerhalb der SPD war nicht der unwichtigste Grund zum Bruch der sozialliberalen Koalition im Herbst 1982.

Bundeskanzler Kohl und seine neue Koalition standen aber fest zu der auch von Bonn eingegangenen Verpflichtung. Trotz außerordentlichem innen- und außenpolitischem Druck wurden 1983 die modernen amerikanischen Atomraketen auch in Westdeutschland installiert, weil die damals noch immer unbewegliche sowjetische Führung zu keiner Abrüstung auch auf ihrer Seite bereit war.

Dennoch kündigten sich bereits damals für den, der genauer hinsah, die ersten Zeichen einer Auflockerung an. Der Sowjetunion gelang es trotz ihrer militärtechnischen Überlegenheit nicht, die Widerstandskämpfer im widerrechtlich besetzten Afghanistan niederzuwerfen. Sie erlebte «ihr Vietnam». Auch wirtschaftlich begann es im roten Imperium zu knirschen. Michail Gorbatschow, seit 1985 an der Macht, erkannte diese Warnsignale und versuchte, mit seinem Programm von «Perestroika» (Umgestaltung) und «Glasnost» (Offenheit) sein Land zu reformieren und auch außenpolitisch vorsichtig umzusteuern. Die innere Schwäche des kommunistischen Systems wurde dabei von Jahr zu Jahr deutlicher, bis schließlich der «Wind der Veränderung» zum Orkan wurde.

Der Westen, und als Teil dieser Wertegemeinschaft die Bundesrepublik Deutschland, konnte diese Anzeichen des Wandels nur aufmerksam verfolgen und unterstützen, ohne sie durch Übereifer zu stören. Bei derartigen weltpolitischen Veränderungen hat ein einzelnes Land naturgemäß nur einen begrenzten Anteil an eigenen Einwirkungsmöglichkeiten. Aber für die Bundesrepbulik Deutschland, an der Nahtstelle zwischen beiden Machtblöcken gelegen, bestand hier eine besondere Verantwortung. Bundeskanzler Kohl hat sie mit Gespür für das Machbare und dem Blick auf das Wünschbare wahrgenommen.

In eben diesem Sinne hat Helmut Kohl 1982 der Parole der damaligen «Friedens»-Bewegung «Frieden schaffen ohne Waffen» in seiner Regierungserklärung den Satz gegenübergestellt: «Frieden schaffen mit immer weniger Waffen». Er setzte seine Hoffnungen auf eine zwischen West und Ost ausgehandelte gleichgewichtige Abrüstung, ohne die notwendige Vorsicht außer acht zu lassen. Das nach langem Tauziehen zwischen US-Präsident Reagan und Gorbatschow im Dezember 1988 unterzeichnete Abkommen über die Abschaffung aller Mittelstreckenraketen brachte den von Kohl stets erhofften Durchbruch. Erstmals nach dem Zweiten Weltkrieg wurde tatsächlich eine ganze Kategorie von Kernwaffen verschrottet. Kohl selbst gab die Zusage zum Abbau der auf Bundesgebiet stationierten Atomraketen.

Seiner Initiative und seinem Drängen ist es auch zu verdanken, daß 1990 die amerikanischen Giftgasgranaten aus der Westpfalz abgezogen wurden, daß die Bundesrepublik Deutschland chemiewaffenfrei wurde.

Die von den Kritikern der Bundesregierung und Kohl vorausgesagte «Eiszeit» in den Beziehungen zwischen der Bundesrepublik und der Sowjetunion nach der Raketenstationierung in Westdeutschland Ende 1983 trat nicht ein. Helmut Kohl legte großen Wert darauf, das Verhältnis zu Moskau so gut wie möglich weiterzuentwickeln. Die Wirtschafts- und kulturellen Beziehungen machten in seinen Regierungsjahren erhebliche Fortschritte, nicht zuletzt infolge des wachsenden sowjetischen Bedarfs an westdeutscher Hilfe. Im Jahr 1987 reiste Bundespräsident Richard von Weizsäcker als erstes Staatsoberhaupt der Bundesrepublik Deutschland zu einem Staatsbesuch in die Sowjetunion, Bundeskanzler Kohl folgte 1988, und wieder ein Jahr später kam Michail Gorbatschow zu einem viel beachteten Gegenbesuch nach Bonn. Die Annäherung zwischen beiden Staaten war unverkennbar, auch wenn sich beide Seiten noch immer als Teile ihrer Militärpakte gegenüberstanden.

Neben der systematischen Verbesserung des Verhältnisses zur Sowjetunion lagen Bundeskanzler Kohl vor allem entkrampfte und zukunftsweisende Beziehungen zu Polen am Herzen. Diese Beziehungen, so wünschte sich Helmut Kohl, sollten einmal so eng und freundschaftlich sein wie mit dem Nachbarn Frankreich. Der Amtsantritt der ersten nichtkommunistischen Regierung des Ostblocks unter Ministerpräsident Mazowiecki, Besuche des Bundeskanzlers und des Bundespräsidenten in Polen im Spätjahr 1989 bzw. 1990 sowie die feierlich verbürgte Garantie beider deutscher Staaten für Polens Westgrenze im Jahr 1990 waren Meilensteine auf dem Wege dazu. Doch das Ende des Weges ist noch nicht erreicht.

Die Einheit der Nation

Prinzipiell stand Helmut Kohl in der Frage des geteilten Deutschland bei Antritt seines Amtes vor der gleichen Situation wie alle Kanzler der Bundesrepublik Deutschland vor ihm. Das Land und die deutsche Nation waren geteilt, als «Ergebnis des Zweiten Weltkrieges», wie es die Sowjetunion nannte, in Wahrheit als Folge kommunistischen Machtstrebens unter Stalin. Die Deutschen würden auf absehbare Zeit mit dieser Teilung leben müssen, und es kam daher darauf an, ihre Folgen für die Menschen weniger schmerzlich zu machen.

Der CDU-Bundeskanzler Kiesinger, Regierungschef der Großen Koalition, hatte 1967 mit den Bemühungen begonnen, der DDR konkrete Vorschläge zur Verbesserung der gegenseitigen Besuchsmöglichkeiten, des Handels, der wissenschaftlich-technischen Zusammenarbeit usw. zu machen. Doch sein damals dem «Vorsitzenden des Ministerrates der DDR», Willi Stoph, übersandter Brief wurde nie beantwortet. Bundeskanzler Willy Brandt hatte 1972 im Zuge der «neuen Ostpolitik» der sozialliberalen Koalition den Abschluß eines «Grundlagenvertrages» mit der DDR erreicht, und Kanzler Helmut Schmidt hatte zwei Besuche bei Honecker ebenfalls zur Verbesserung der Kontakte und der praktischen Zusammenarbeit genutzt. Zwar waren seit den siebziger Jahren gewisse Erleichterungen eingetreten, aber noch immer bestand die DDR-Grenze mit Stacheldraht, Selbstschußeinrichtungen und Grenzposten, denen ein ausdrücklicher Befehl gezielte Schüsse auf «Republikflüchtige» vorschrieb.

Viele hatten sich mit diesem Zustand abgefunden und sahen die SED-Herrschaft in der DDR mit dem langjährigen Staatsratsvorsitzenden und SED-Generalsekretär Honecker als legitime Regierung und die DDR als den souveränen zweiten deutschen Staat von Dauer an. Als «Lebenslüge dieser (Bundes-)Republik» bezeichnete Willy Brandt 1988 den von Bundeskanzler Kohl und seiner Regierung erhobenen Anspruch, daß das Ziel deutscher Politik die Überwindung der Teilung in Frieden und Freiheit sein müsse.

Diese grundsätzlich andere Einstellung und Zielsetzung unterschied die Politik der Regierung Kohl von der ihrer Vorgänger, nicht so sehr dagegen das pragmatische Verhalten im Einzelfall. Dabei kam ihr die allgemeine Ost-West-Entspannung, die in der zweiten Hälfte der achtziger Jahre Fortschritte machte, zu Hilfe.

Die westdeutschen Banken halfen 1983 und 1984 mit zwei Milliarden-Krediten, die von Franz Josef Strauß eingeleitet worden waren. Da für die Bundesrepublik Deutschland die DDR kein Ausland war und die Europäische Gemeinschaft dies anerkannte, hinderten keine Zölle und Abschöpfungen den deutsch-deutschen Warenverkehr.

Die DDR mußte den privaten Reiseverkehr erheblich liberalisieren. Viel mehr Menschen als früher konnten zu Besuchen in die Bundesrepublik Deutschland ausreisen. Der Transitverkehr von und nach Westberlin verlief reibungsloser als zuvor, es gab mehr Kulturaustausch, im Umweltschutz begannen beide deutsche Staaten zusammenzuarbeiten, ebenso in Wissenschaft und Technik. Der innerdeutsche Handel litt jedoch unter der zunehmenden Wirtschaftsschwäche der DDR.

Im September 1987 machte Erich Honecker seinen schon lange ins Auge gefaßten, auf Wunsch Moskaus mehrfach verschobenen Besuch in der Bundesrepublik Deutschland. Im Sinne der erstrebten Politik der Verbesserungen der Lebensverhältnisse und der konstruktiven Zusammenarbeit mit den Machthabern im anderen Teil Deutschlands nahm Helmut Kohl es hin, daß vor dem Bundeskanzleramt in Bonn die Flagge mit Hammer und Zirkel wehte und die DDR-Hymne gespielt wurde.

Aber der Kanzler verschwieg seinem Gast nicht seine grundsätzlich unterschiedliche Auffassung in der Frage der Einheit der Nation. Am Streben seiner Regierung nach einer Überwindung der Teilung Deutschlands werde sich nichts ändern, erklärte er unüberhörbar in der Tischrede bei

Honeckers Besuch. «Für die Bundesregierung wiederhole ich: Die Präambel unseres Grundgesetzes steht nicht zur Disposition, weil sie unserer Überzeugung entspricht ... Wir stehen zu diesem Verfassungsauftrag, und wir haben keinen Zweifel, daß dies dem Wunsch und Willen, ja der Sehnsucht der Menschen in Deutschland entspricht.»

Die Öffnung des Brandenburger Tores in Berlin
22. Dezember 1989

Kanzler aller Deutschen

Als Helmut Kohl im August 1989 von seinem üblichen Sommerurlaub am Wolfgangsee nach Bonn zurückkehrte, konnte er, was das Ausmaß der Entwicklung in Osteuropa und in der DDR betraf, allenfalls ahnen, daß die darauf folgenden Monate in den Geschichtsbüchern die Bezeichnung «historisch» erhalten würden. Politisch, wirtschaftlich und militärisch trat innerhalb von nur einem guten Jahr ein Wandel in der Welt ein, wie es ihn in den 45 Jahren seit dem Ende des Zweiten Weltkrieges nicht gegeben hatte. Deutschland, das geteilte Deutschland, spielte dabei eine positive Rolle, deren Bedeutung gar nicht hoch genug eingeschätzt werden kann. Für den Kanzler der Bundesrepublik Deutschland war dies eine Herausforderung ohne geschichtliches Vorbild, aber zugleich die Erfüllung eines Traumes, den er selbst – im Gegensatz zu vielen Menschen und Politikern im Westen – niemals aufgegeben hatte.

Ein gutes Jahr später, gewiß dem dramatischsten seines Lebens, war Helmut Kohl nach der friedlichen Revolution im Deutschland zwischen Elbe und Oder der Kanzler aller Deutschen. Vor allem aber war der Auftrag des Grundgesetzes erfüllt, die Einheit und Freiheit Deutschlands in freier Selbstbestimmung und in Frieden zu vollenden.

Gewiß wurde dieser ungeheure Wandel nicht von Kohl verursacht, sondern war das Ergebnis der immer rascher voranschreitenden Auflösung der Macht des Kommunismus und des Freiheitswillens der Menschen in Polen, Ungarn, der DDR und den anderen Staaten in Ost-, Mittel- und Südeuropa. Sie verlangten stürmisch wirkliche Demokratie, nicht «Volksdemokratie». Dennoch ist das Ergebnis der friedlichen und demokratischen Vereinigung der beiden

Teile Deutschlands Helmut Kohl nicht in den Schoß gefallen.

Im Verhältnis zwischen den beiden Regierungen in Deutschland kam es für den Bundeskanzler darauf an, auf die in der DDR plötzlich zutage tretende Staats- und Wirtschaftskrise besonnen und hilfreich zu reagieren. Das dramatisch wachsende Tempo hin zur deutschen Vereinigung mußte politisch im Griff gehalten werden und die historische Chance mußte genutzt werden, ohne die Krise anzuheizen. Nach außen war es die wichtigste Aufgabe des deutschen Kanzlers, bei den Nachbarn im Osten wie im Westen das zeitweise aufkeimende Mißtrauen vor einem übermächtig werdenden Deutschland bereits im Ansatz zu zerstreuen. Beide Aufgaben hat Helmut Kohl zupackend und mit Augenmaß erfüllt.

Dabei wirkte er nach außen stets mit der bei ihm gewohnten Ruhe, auch wenn man vermuten darf, daß die dramatischen Ereignisse in Deutschland ihn innerlich stark bewegt haben.

Einen kleinen Blick in diese Gefühlswelt Kohls ermöglichte der Ministerpräsident Ungarns des Jahres 1989, Miklos Nemeth, als er später von den Ereignissen erzählte, mit denen der große Wandel begonnen hatte. Im Sommer 1989 hatten Zehntausende Deutsche aus der DDR Ungarn besucht und hofften, von dort, wo schon eine liberal gesinnte, wenn auch dem Namen nach kommunistische Regierung an der Macht war, in den freien Westen zu kommen. In der deutschen Botschaft in Budapest, aber auch sonst in Ungarn fanden sie in drangvoller Enge für Wochen Asyl, ein für alle Beteiligten unerträglicher Zustand. Die ungarische Regierung beschloß endlich, ohne Rücksicht auf die Auswirkungen, die Grenze nach Österreich zu öffnen. Ministerpräsident Nemeth teilte das dem Bundeskanzler Kohl bei einem Besuch in Bonn im September mit. Bei dieser Gelegenheit habe er Tränen in den Augen Helmut Kohls gesehen, so berichtete Miklos Nemeth ein Jahr danach.

Die Fluchtbewegung von DDR-Bürgern über Ungarn löste eine ganze Kettenreaktion aus. Bald waren die bundesdeutschen Botschaften in Prag und Warschau ähnlich überlaufen, die DDR-Regierung mußte schließlich zähneknirschend die Ausreise gestatten. Am 7. Oktober 1989 feierte die alte SED-Garde – es sollte das letzte Mal sein – mit dem üblichen Gepränge den 40. Gründungstag der DDR; dies war die Gelegenheit, bei der Michail Gorbatschow Honecker mit dem heute geflügelten Wort warnte: «Wer zu spät kommt, den bestraft das Leben!». Gleichzeitig aber riefen in Friedensgebeten und immer machtvolleren friedlichen Demonstrationen in Leipzig und anderen Städten der DDR die Menschen: «Wir sind das Volk!» Honecker wurde zum Rücktritt gezwungen (18. Oktober), Egon Krenz trat an seine Stelle.

Doch inzwischen glich die Stimmung in der DDR einem siedenden Kessel kurz vor dem Platzen. Am Abend des 9. November wurden die Ventile geöffnet und die freie Ausreise aus der DDR gestattet. Bereits Minuten später waren die Grenzposten überrannt. Hunderttausende, in den nächsten Tagen Millionen Deutsche aus der DDR brachen aus ihrem 28 Jahre lang von Mauern und Stacheldraht umgebenen Gefängnis aus und besuchten staunend, noch ungläubig für ein paar Stunden den freien Teil Deutschlands.

Bundeskanzler Kohl wurde von dieser Entwicklung eingeholt, gerade als er seinen wichtigen Staatsbesuch in

Polen absolvierte. Er unterbrach den Besuch für einen Tag, um am 10. November in West-Berlin auf einer Veranstaltung vor dem Schöneberger Rathaus zu sprechen.

Das Rad der Geschichte drehte sich schnell und war nicht mehr aufzuhalten. Von der DDR griff der Ruf nach Freiheit noch im November auf die Tschechoslowakei über, von dort auf Bulgarien und schließlich auf Rumänien, wo überall noch im Herbst und Winter 1989 die kommunistischen Diktatoren stürzten.

Ähnliche, wenn auch nicht ganz so dramatische Umbrüche spielten sich in der Sowjetunion ab. Das Umdenken in der Sowjetunion stand in Wechselwirkung mit dem raschen Zerfall des einst so festgefügt erscheinenden kommunistischen Blocks. Im Wettlauf mit diesem Zerbröckeln alter Strukturen, vor einem drohenden wirtschaftlichen Chaos, versucht Michail Gorbatschow fast verzweifelt, in seinem Land das Steuer zu mehr Demokratie und effizienterer Wirtschaft herumzureißen. Das, so hatte der sowjetische Präsident längst erkannt, war nicht mehr mit der Aufrechterhaltung der alten sowjetischen Rolle als Gefängniswärter des Ostblocks möglich. Das war auch nicht mehr unter Fortführung des alten Ost-West-Gegensatzes möglich, sondern eigentlich nur unter Mithilfe des Westens, insbesondere des wirtschaftlich stärksten westeuropäischen Landes, der Bundesrepublik Deutschland.

Auf diese Entwicklung hoffend – wenn er sie wohl auch nicht so schnell erwartete – hatte Helmut Kohl schon früh alles daran gesetzt, die Beziehungen zur Sowjetunion zu verbessern. Es war ihm im Verlauf seiner Kanzlerschaft gelungen, bereits viel von dem alten Eis zu brechen.

Im Jahr 1990, nach der politischen Wende im Ostblock und vor allem in der DDR, sorgten zwei weitere Reisen

Helmut Kohl bei Michail Gorbatschow in Stawropol (Kaukasus)
Juli 1990

Die Staats- und Regierungschefs der sieben führenden westlichen Industrienationen und der Präsident der EG-Kommission beim Weltwirtschaftsgipfel in Houston/Texas Juli 1990

Helmut Kohls und Hans-Dietrich Genschers in die Sowjetunion für eine geradezu freundschaftliche persönliche Atmosphäre und noch engere deutsch-sowjetische Annäherung. Beim Moskau-Besuch im Februar holte Kohl «den Schlüssel zur Einheit Deutschlands ab», das heißt, die Sowjetunion erhob keine Einwände mehr gegen die Vereinigung der beiden deutschen Staaten. Deren Trennung und gegensätzliche politische Ausrichtung hatte bislang zu den von Moskau für unabänderlich erklärten «Ergebnissen des Zweiten Weltkrieges» gehört.

Beim zweiten Zusammentreffen des Jahres 1990 – als besondere Auszeichnung in Gorbatschows Heimat im nördlichen Kaukasus – erhielt Helmut Kohl im Juli die bis dahin immer noch verweigerte Zustimmung, daß auch ein vereinigtes Deutschland der NATO angehören könne, und daß die sowjetischen Truppen in drei bis vier Jahren aus der DDR abziehen würden. Demgegenüber verpflichtete sich Kohl für das vereinigte Deutschland, insgesamt nur noch 370000 Soldaten zu unterhalten und wie bisher auf atomare, biologische und chemische Waffen zu verzichten. Für Kohl war das kein demütigendes Zugeständnis, sondern das beispielhafte Vorangehen in Europa auf dem von ihm selbst einst bei seinem Regierungsantritt vorgezeichneten Wege: «Frieden schaffen mit immer weniger Waffen». Das waffenstarrende Gegenüber von West und Ost scheint endgültig der Vergangenheit anzugehören.

Vor allem aber brachte der Kanzler den festen Plan eines «Generalvertrages» mit Moskau mit, der nun, alle früheren ideologischen und historischen Gegensätze überwindend, das deutsch-russische Verhältnis auf eine ganz neue, freundschaftlich-partnerschaftliche Grundlage für die nächsten Jahrzehnte stellen soll. Daß hierbei das wirtschaftlich starke Deutschland im großen Ganzen der gebende Teil sein wird, kann Deutschland mit Genugtuung erfüllen, sollte es aber nicht überheblich werden lassen.

Eine intensive Reisediplomatie Bundeskanzler Kohls und Außenminister Genschers im Jahr 1990 zu den westlichen Verbündeten und Nachbarn – wohl das dichteste Reiseprogramm der führenden deutschen Außenpolitiker seit Bestehen der Bundesrepublik Deutschland – sorgte dafür, daß diese Abmachungen zwischen Bonn und Moskau nicht das Mißtrauen der Westpartner erregten, sondern ihre Billigung und Unterstützung fanden. So konnten auch die sogenannten «2 + 4-Verhandlungen» zügig und planmäßig die «äußeren Aspekte der deutschen Einigung» klären. «2 + 4-Verhandlungen» wurden die Gespräche und Konferenzen der beiden deutschen Staaten mit den Außenministern der vier Siegermächte des Zweiten Weltkrieges genannt. Die letzteren trugen ja immer noch «Verantwortung für Deutschland als Ganzes». Im Moskauer Vertrag vom 12. September 1990 wurden diese Rechte alle abgelöst und Gesamtdeutschland die volle innere und äußere Souveränität zuerkannt. Dieser Vertrag ersetzt einen Friedensvertrag mit Deutschland, der 45 Jahre nach Kriegsende und in einer völlig gewandelten Welt wahrlich nicht mehr zeitgemäß gewesen wäre.

So gegen äußere Hindernisse und Mißdeutungen abgesichert, konnten sich die beiden deutschen Staaten relativ ungestört aufeinanderzubewegen. Das Tempo wurde allerdings von den Menschen bestimmt. Auch Helmut Kohl hatte, wie wohl nahezu jeder im Westen, mit längeren Zeiträumen gerechnet. Sein im November 1989 überraschend verkündeter «Zehn-Punkte-Plan» war zwar ein Fahrplan zur deutschen Einheit, sah aber noch verschiedene

Stufen vor. Doch der ungeheuer rasche politische und wirtschaftliche Zerfall des angeblichen «Bollwerks der Arbeiterklasse DDR» warf alle zeitlichen Stufenpläne über den Haufen.

Zuerst war es eine Woge von Menschen, die die DDR über die nun offene Grenze in Richtung Bundesrepublik Deutschland verließ – fast eine halbe Million «Übersiedler» in einem halben Jahr. Sie wurde immer mehr überlagert von der Gefühlswelle, die die Menschen auf ihren weiter fortgesetzten Massendemonstrationen zwar rufen ließ: «Wir bleiben hier!», aber auch «Wir sind *ein* Volk!» Bei seinem ersten offiziellen Besuch in Dresden im Dezember leistete Helmut Kohl vor hunderttausend tief ergriffenen DDR-Bürgern ein rednerisches Meisterstück staatsmännischer Nüchternheit. Er legte gleichzeitig ein Bekenntnis zur Zusammengehörigkeit aller Deutschen ab und gab so den Menschen Hoffnung.

Der Autoritätsverlust der bisher in der DDR Herrschenden war atemberaubend rasant. Schon im Dezember 1989 wandelte die verhaßte SED ihren Namen in «Partei des demokratischen Sozialismus» (PDS) um und verlor weit mehr als zwei von ihren 2,7 Millionen Mitgliedern. Die alte Führungsriege wurde zeitweilig verhaftet. Auch die Übergangsregierung Modrow konnte den wirtschaftlichen Verfall nicht aufhalten. Sie verlor rapide an Ansehen, weil sie nur halbherzig handelte und den Verdacht erregte, die alten Strukturen unter neuem Gewand wiederherstellen zu wollen. Helmut Kohls Beliebtheit dagegen wuchs in der DDR ständig, wie sich schon bei den Wahlveranstaltungen der auf März vorgezogenen Volkskammerwahl zeigte. Allein in Leipzig kamen über 300000 Menschen zu einer Wahlkundgebung. Die mit kräftiger Nachhilfe des Bundeskanzlers entstandene «Allianz für Deutschland», das Wahlbündnis aus der CDU der DDR und den neuen Parteien «Demokratischer Aufbruch» und DSU, errang bei dieser Wahl entgegen allen Voraussagen fast die absolute Mehrheit. Die neugegründete SPD blieb mit nur wenig über 20 Prozent weit abgeschlagen, und die SED-Nachfolgerin PDS zeigte mit 16 Prozent, wie dünn in Wahrheit die rote Tünche in der DDR gewesen war. Lothar de Maizière, der neue Vorsitzende der DDR-CDU, wurde Ministerpräsident einer erstmals frei gewählten Regierung, deren klares Ziel es war, so schnell wie möglich überflüssig zu werden.

Die von Bundeskanzler Kohl schon zum 1. Juli 1990 angebotene und durchgesetzte Währungs-, Wirtschafts- und Sozialunion erwies sich als Hilfe für die Menschen in höchster Not. Sie stieß aber auch auf die verheerenden Folgen der fünfundvierzigjährigen sozialistischen Mißwirtschaft. Die Menschen begriffen sie als erste und wichtigste Rettungsleine und als «Transfusionsschlauch» der Hilfe durch die wirtschaftlich leistungsfähige Bundesrepublik Deutschland. So war es nur die logische Konsequenz, daß die Verhandlungen über den deutsch-deutschen Einigungsvertrag zum Vollzug auch der politischen und staatsrechtlichen Einheit unmittelbar folgten. Am 23. August beschloß die DDR-Volkskammer mit einer Mehrheit von drei Vierteln ihrer demokratisch gewählten Abgeordneten, am 3. Oktober 1990 den Beitritt der DDR zum Geltungsbereich des Grundgesetzes gemäß Artikel 23 dieser Verfassung wirksam werden zu lassen. Der unter gleichberechtigten Partnern ausgehandelte Einigungsvertrag fand am 20. September die Zustimmung von Volkskammer und Bundestag.

Am 21. September wurde er abschließend vom Bundesrat einstimmig angenommen.

Helmut Kohl am 3. Oktober 1990, am «Tag der Deutschen Einheit», vor dem Reichstag in Berlin

Für Helmut Kohl wird ohne Zweifel der 3. Oktober 1990, der «Tag der Deutschen Einheit», der nun endlich diesen Namen auch rechtfertigt, der größte und bewegendste Tag in seinem Leben bleiben. Auch die Bevölkerung Deutschlands empfindet so. Bundeskanzler Kohl wird seit dem Sommer 1990 mit einer Zustimmung honoriert, wie sie zuvor kein deutscher Bundeskanzler hatte.

Otto von Bismarck hat vor 120 Jahren die Vereinigung des deutschen Kaiserreiches mit «Blut und Eisen» und mit diplomatischen Finessen erzwungen. Bundeskanzler Kohl kamen bei der Beendigung der langen Teilung Deutschlands günstige Umstände zu Hilfe. Künftige Historiker werden Parallelen zum «Eisernen Kanzler» ziehen und Unterschiede finden. Helmut Kohl wird solche Vergleiche eher gelassen zur Kenntnis nehmen und als für die Politik unerheblich einschätzen. Für ihn zählt, daß unter seiner Kanzlerschaft die Einheit Deutschlands sich vollendete, ohne einen Schuß, ohne ein Todesopfer oder eine politische Hexenjagd, ohne bittere Feindschaft zu ausländischen Nachbarn, als «gleichberechtigtes Glied in einem vereinten Europa», in Frieden und freiheitlicher Demokratie und in der sicheren Hoffnung, daß es den deutschen Landsleuten in der ehemaligen DDR in wenigen Jahren auch wirtschaftlich und sozial genauso gut gehen wird wie ihren von der Geschichte bevorzugten Brüdern und Schwestern im Westen.

Wenn ein Staatsmann auf das stolz sein darf, was unter seiner Regierung erreicht wurde, dann hat Helmut Kohl allen Grund dazu.

Dokumentation

Redenauszüge

23. Oktober 1978

Im Zeichen unseres Grundsatzprogrammes

Aus der Rede vor dem CDU-Parteitag 1978 in Ludwigshafen (26. Bundesparteitag der CDU Deutschlands 23.–25. 10. 1978, Niederschrift)

Die Menschheit ist an einem kritischen Punkt ihrer Entwicklung angelangt. Ihr Überleben hängt von der Sicherung eines ökologischen Gleichgewichts ab, das zunehmend gefährdet ist.

(...)

Wir lassen uns jedoch nicht jene falsche, gefährliche Alternative «Umwelt oder Wachstum» aufschwätzen. Wir haben in der Zwischenzeit erlebt, daß Umweltinvestitionen Wachstum fördern. Für uns sind Wachstum und Umweltschutz kein Gegensatz.

(...)

Wir hatten doch schon einmal gegen den reaktionären Widerstand der Sozialisten in einer einmaligen Pionierleistung die Soziale Marktwirtschaft konzipiert und durchgesetzt. Mit dieser Sozialen Marktwirtschaft haben wir den freien Markt in den Dienst des sozialen Ausgleichs gestellt. Jetzt kommt es darauf an, die Soziale Marktwirtschaft mit den Notwendigkeiten ökologischer Erfordernisse in Einklang zu bringen. Die Sozialdemokraten behaupten – wie immer aus ihrem falschen Denken heraus – dies sei nicht möglich, die Gefährdung der Umwelt erfordere mehr staatliche Lenkung statt marktwirtschaftliche Steuerung. Liebe Freunde, das kommt uns doch seltsam vertraut vor. Wir begegnen hier den gleichen Argumenten, die vor 30 Jahren gegen Ludwig Ehrhard und die Soziale Marktwirtschaft vorgetragen wurden. Damals hieß es, die Probleme des Wiederaufbaus, die sozialen Probleme seien nicht mit, sondern nur gegen den Markt zu lösen. Damals wie heute hat die Phantasie der Sozialisten nicht ausgereicht, zu einer wirklich neuen, zukunftsträchtigen Lösung durchzustoßen. Damals wie heute ist es die große Chance der Union, nicht nur die Soziale Marktwirtschaft zu verteidigen, sondern im Blick nach vorne – auf neue Problemstellungen – weiterzuentwicklen.

Meine Freunde, lassen Sie uns das doch ganz offen sagen: Umweltschutz ist eine große konservative Aufgabe mit Zukunft, und wir wollen sie anpacken!

(...)

Unser Leitbild ist die Person, die unverwechselbare Persönlichkeit des einzelnen, der freie – nicht der verwaltete, der selbständige – nicht der bevormundete Bürger. Deshalb sieht unsere Politik anders aus als die der Sozialdemokraten. Unser Bild vom Menschen trägt weder ideologische noch utopische Züge. Wir machen Front gegen die sozialistische Maxime, wonach die Gesellschaft der Schlüsselbegriff der Politik sei – nicht der Mensch mit seinen Grundrechten und Grundfreiheiten, mit seinem Anspruch auf persönliches Glück. ...

Eine lebendige Republik freier Bürger zu schaffen, das ist unser politischer Auftrag für Deutschland. Denn nur unsere Politik setzt jene schöpferischen Kräfte im Menschen frei, die unser Land so bitter nötig hat, wenn es die Zukunft meistern will.

Menschlichkeit, Güte, Treue, Verantwortungsbewußtsein, Fleiß, Pflichtgefühl und Opferbereitschaft, das sind die Tugenden freier Bürger. Ohne diese Tugenden hätte dieses Land aus den Trümmern, die uns die menschenverachtende Politik der Nationalsozialisten hinterlassen hat, nicht herausfinden können. Ohne diese Tugenden kann unser Land die Herausforderungen nicht bestehen, die vor uns liegen, den Berg der Probleme nicht abtragen, den eine falsche Politik mittlerweile aufgetürmt hat. Das ist Politik für die Zukunft.

21. April 1985

Trauer, mahnende Erinnerung und Versöhnung

Aus der Ansprache in der Gedenkstunde im ehemaligen Konzentrationslager Bergen-Belsen
(Bulletin Nr. 41/23.4.1985)

Für die Untaten der NS-Gewaltherrschaft trägt Deutschland die Verantwortung vor der Geschichte. Diese Verantwortung äußert sich auch in nie verjährender Scham.

Wir werden nicht zulassen, daß etwas verfälscht oder verharmlost wird. Gerade die Kenntnis der schuldhaften Verstrickung, der Gewissenlosigkeit, auch der Feigheit und des Versagens kann uns in den Stand setzen, die Anfänge des Verderbens zu erkennen und ihnen zu widerstehen.

Denn Totalitarismus, wie er sich in Deutschland nach dem 30. Januar 1933 durchsetzen konnte, das ist keine unwiederholbare Entgleisung, kein «Unfall der Geschichte».

Wachsamkeit und Sensibilität sind vor allem gegenüber jenen Einstellungen und Haltungen geboten, die totalitärer Herrschaft den Weg bereiten können:

- der Gläubigkeit gegenüber Ideologien, die vorgeben, das Ziel der Geschichte zu kennen, die das Paradies auf Erden versprechen,

- dem Verzicht auf den Gebrauch verantworteter Freiheit,
- der Gleichgültigkeit gegenüber Verletzungen der Menschenwürde und des Friedensgebotes.

Friede beginnt mit der Achtung der unbedingten und absoluten Würde des einzelnen Menschen in allen Bereichen seines Lebens.

Das Leiden und der Tod der Menschen, die Opfer der Unmenschlichkeit wurden, mahnen uns:

- den Frieden und die Freiheit zu bewahren,
- dem Recht und der Gerechtigkeit zu dienen,
- das Maß des Menschen zu erkennen und in Demut vor Gott unseren Weg zu gehen.

18. März 1987

Die Schöpfung bewahren – die Zukunft gewinnen. Regierungspolitik 1987–1990.

Aus der Regierungserklärung vor dem Deutschen Bundestag (Bulletin Nr. 27/19.3.1987)

Unser Regierungsprogramm ist getragen von der Verantwortung für die Generationen, die nach uns kommen. Doch die junge Generation muß dabei mitmachen. Sie muß ihre eigene Verantwortung erkennen. So wie wir die Weisheit und Erfahrung der Älteren brauchen, so brauchen wir den Idealismus, den Mut und die Tatkraft der jungen Generation.

Wir brauchen auch ihr Vertrauen – das Vertrauen in unsere Demokratie und in die Werte, die sie tragen. Demokratie ist eine anspruchsvolle Ordnung. Ihre Lebenskraft und ihre Zukunft hängen von Anerkennung und von Zustimmung der nachwachsenden Generation ab.

Viele junge Menschen wollen wissen, in welche Zukunft der Weg führt und welchen persönlichen Beitrag sie leisten können. Wir können ihnen mit gutem Gewissen sagen: Ihr habt guten Grund zur Zuversicht:

- Kaum eine Generation zuvor konnte so berechtigt die Hoffnung auf ein ganzes Leben in Frieden und Freiheit haben. Die bittere Erfahrung von Krieg und Gewaltherrschaft darf sich nicht wiederholen – das ist die Lehre der Geschichte unseres Jahrhunderts.
- Jungen Menschen bieten sich – bei allen Problemen und Fragen – vielfältige Lebenschancen. Mit Lernfreude, mit Fleiß, mit Phantasie und mit Mittun können sie weit vorankommen, wenn sie neben den Rechten auch die Pflichten akzeptieren.
- Wir leben in einem Land der freien Welt – mit sehr viel Freiraum für sinnerfülltes Handeln. Mit persönlichen und privaten Initiativen, mit Mitmenschlichkeit und Dienst am Nächsten läßt sich viel Gutes tun – hier, bei uns zu Hause in der Bundesrepublik Deutschland, und draußen in der Welt in der Hilfe für Unterdrückte und Notleidende.

Mit der jungen Generation – und für sie – wollen wir die Zukunft gewinnen. Ich bitte alle unsere Mitbürgerinnen und Mitbürger um ihre Mithilfe. Mit Tatkraft, mit Mut und mit Zuversicht wollen wir Deutschland, unserem Vaterland, dienen.

7. September 1987

Die Mauer steht den Menschen im Wege

Aus der Tischrede beim Abendessen mit SED-Generalsekretär Erich Honecker in der Redoute, Bonn-Bad Godesberg (Bulletin Nr. 83/10.9.1987)

Das Bewußtsein für die Einheit der Nation ist wach wie eh und je, und ungebrochen ist der Wille, sie zu bewahren. Diese Einheit findet Ausdruck in gemeinsamer Sprache, im gemeinsamen kulturellen Erbe, in einer langen, fortdauernden gemeinsamen Geschichte.

(...)

Die Präambel unseres Grundgesetzes steht nicht zur Disposition, weil sie unserer Überzeugung entspricht. Sie will das vereinte Europa, und sie fordert das gesamte deutsche Volk auf, in freier Selbstbestimmung die Einheit und Freiheit Deutschlands zu vollenden.

Das ist unser Ziel. Wir stehen zu diesem Verfassungsauftrag, und wir haben keinen Zweifel, daß dies dem Wunsch und Willen, ja der Sehnsucht der Menschen in Deutschland entspricht.

(...)

Wir sind aufgerufen, an einer großen Aufgabe mitzuwirken: der Aufgabe, eine europäische Friedensordnung zu gestalten, die die Spaltung Europas überwindet, Völker und Staaten zusammenführt und für die Menschen die Grenzen öffnet.

Die gemeinsame Geschichte, die uns Deutsche im Guten wie im Bösen unentrinnbar miteinander verbindet, hat uns eine weitere zentrale Lehre vermittelt: Niemals wieder darf der Mensch als bloßes Mittel für politische Zwecke mißbraucht werden. Friede beginnt mit der Achtung der unbedingten und absoluten Würde des einzelnen Menschen in allen Bereichen seines Lebens. Jeder Mensch muß über und für sich selbst bestimmen können.

Deshalb wurde in der Schlußakte der KSZE ausdrücklich anerkannt: Die Achtung der Menschenrechte und Grundfreiheiten ist «ein wesentlicher Faktor für den Frieden, die Gerechtigkeit und das Wohlergehen».

Wir wollen Frieden in Deutschland, und dazu gehört auch, daß an der Grenze Waffen auf Dauer zum Schweigen gebracht werden. Gerade Gewalt, die den Wehrlosen trifft, schädigt den Frieden.

Versäumen wir es nicht, Maßnahmen zu treffen, die auch von Mensch zu Mensch ein Stück Frieden stiften, indem sie mehr Nähe, Miteinander und Freiheit schaffen.

Die Menschen in Deutschland leiden unter der Trennung. Sie leiden an einer Mauer, die ihnen buchstäblich im Wege steht und die sie abstößt. Wenn wir abbauen, was Menschen trennt, tragen wir dem unüberhörbaren Verlangen der Deutschen Rechnung: Sie wollen zueinander kommen können, weil sie zusammengehören.

28. November 1989

Zehn-Punkte-Programm zur Überwindung der Teilung Deutschlands und Europas

Aus der Rede vor dem Deutschen Bundestag
(Bulletin Nr. 134/29.11.1989)

Wie ein wiedervereinigtes Deutschland schließlich aussehen wird, das weiß heute niemand. Daß aber die Einheit kommen wird, wenn die Menschen in Deutschland sie wollen, dessen bin ich sicher.

Die Entwicklung der innerdeutschen Beziehungen bleibt eingebettet in den gesamteuropäischen Prozeß, das heißt immer auch in die West-Ost-Beziehungen. Die künftige Architektur Deutschlands muß sich einfügen in die künftige Architektur Gesamteuropas. Hierfür hat der Westen mit seinem Konzept der dauerhaften und gerechten europäischen Friedensordnung Schrittmacherdienste geleistet.

Generalsekretär Gorbatschow und ich sprechen in der gemeinsamen Erklärung vom Juni dieses Jahres von den Bauelementen eines «gemeinsamen europäischen Hauses». Ich nenne beispielhaft dafür:

- Die uneingeschränkte Achtung der Integrität und der Sicherheit jedes Staates. Jeder Staat hat das Recht, das eigene politische und soziale System frei zu wählen.
- Die uneingeschränkte Achtung der Grundsätze und Normen des Völkerrechts, insbesondere Achtung des Selbstbestimmungsrechts der Völker.
- Die Verwirklichung der Menschenrechte.
- Die Achtung und Pflege der geschichtlich gewachsenen Kulturen der Völker Europas.

Mit alledem wollen wir – so haben es Generalsekretär Gorbatschow und ich festgeschrieben – an die geschichtlich gewachsenen europäischen Traditionen anknüpfen und zur Überwindung der Trennung Europas beitragen.

Die Anziehungs- und Ausstrahlungskraft der Europäischen Gemeinschaft ist und bleibt eine entscheidende Konstante der gesamteuropäischen Entwicklung. Wir wollen und müssen sie weiter stärken.

Die Europäische Gemeinschaft ist jetzt gefordert, mit Offenheit und Flexibilität auf die reformorientierten Staaten Mittel-, Ost- und Südosteuropas zuzugehen.

18. Mai 1990

Erster entscheidender Schritt auf dem Weg zur deutschen Einheit.

Aus der Erklärung bei der Unterzeichnung des Staatsvertrages in Bonn
(Bulletin Nr. 64/22.5.1990)

Nach Jahrzehnten beginnt ein Traum Wirklichkeit zu werden: der Traum von der Einheit Deutschlands und Europas.

Die Menschen in der DDR haben in einer friedlichen Revolution im letzten Herbst mit der Kraft ihrer Freiheitsliebe die Ketten des Unrechtsregimes gesprengt. Wir sind mit ihnen stolz und glücklich über das Gelingen dieser Revolution und schulden den Hunderttausenden Dank, die durch ihren Mut in großer Bedrängnis diese Veränderungen durchgesetzt haben.

Mit dieser Revolution ging eine Phase in der deutschen Geschichte zu Ende, die vielen Menschen Leid, Elend und Verzweiflung gebracht, manchen das Leben gekostet hat.

(...)

Wir dürfen ihr Schicksal nie vergessen, verdrängen oder verharmlosen. Die Verbrechen, die – auch nach dem Zweiten Weltkrieg – in Deutschland an Deutschen begangen wurden, sind für uns alle eine Mahnung und dürfen sich nie mehr wiederholen.

Die Unterzeichnung des Staatsvertrages ist ein denkwürdiges Ereignis für alle Deutschen und Europäer. Was wir hier erleben, ist die Geburtsstunde des freien und einigen Deutschland: vor den Augen der Welt bekunden die Vertreter der frei gewählten Regierungen beider Teile Deutschlands ihren Willen, als ein Volk, als eine Nation gemeinsam ihre Zukunft in einem freiheitlichen und demokratischen Staat zu gestalten.

Mit diesem historischen Tag der Unterzeichnung des Vertrages über die Wirtschafts-, Währungs- und Sozialunion beginnt auch ein neuer Abschnitt der europäischen Geschichte. Wir stellen uns damit gleichzeitig einer großen Gestaltungsaufgabe. Ihr Gelingen ist weit über die Grenzen Deutschlands hinaus von größter Bedeutung für die Zukunft ganz Europas.

1. Oktober 1990

Die CDU Deutschlands ist wiedervereinigt

Aus der Eröffnungsrede zum CDU-Parteitag 1990 in Hamburg (1. Parteitag der CDU Deutschlands 1.–2.10.1990, Protokoll)

Eugen Gerstenmaier hat einmal gesagt, Gründung und Geschichte der Unionsparteien seien «alles in allem der spontanste, der sichtbarste und der wirksamste politische Ausdruck der Wandlung Deutschlands und der Deutschen im 20. Jahrhundert».

(...)

Die CDU ist ein Symbol deutschen Neuanfangs nach 1945. Sie ist aber auch eine Partei, deren Wurzeln tief in den deutschen Widerstand gegen die totalitäre Nazi-Barbarei hineinreichen. Sie ist geboren aus dem Geist des Widerstands gegen Unterdrückung und Unfreiheit eines verbrecherischen Regimes. (...) Es ist tragisch, daß der politische Neuanfang nach 1945 nur im westlichen Teil Deutschlands dauerhaft gelang. Die CDU in der sowjetisch besetzten Zone geriet schnell unter die Diktatur eines neuen Totalitarismus. (...) Mit der friedlichen Revolution unserer Landsleute in der DDR hat sich auch die CDU aus der Umklammerung durch die SED befreit.

(...)

Die CDU ist die Partei, die die richtigen Grundentscheidungen für die Bundesrepublik Deutschland getroffen und in schwierigen Zeiten durchgesetzt hat. Wir haben an der Einheit der Nation festgehalten, weil es uns um die Freiheit und das Wohlergehen aller Deutschen ging. Wir werden jetzt gemeinsam und zusammen mit unseren Freunden aus den neuen Bundesländern die Einheit gestalten und aus ganz Deutschland ein freies und blühendes Land machen.

RHEINISCHER MERKUR, Köln, 4. Oktober 1963
Ein junger Mann an der Spitze

Als sich die 46 Abgeordneten der CDU-Landtagsfraktion von Rheinland-Pfalz für die neue Legislaturperiode konstituierten, wählten sie einen ihrer Jüngsten, den 33jährigen Dr. Helmut Kohl aus Ludwigshafen, zu ihrem ersten Vorsitzenden. Diese Wahl kam nicht unerwartet. Immerhin war Kohl bereits während der letzten Legislaturperiode – obgleich Neuling und jüngster Abgeordneter – zum stellvertretenden Fraktionsvorsitzenden avanciert und häufigster und auch wohl profiliertester Sprecher der CDU im Landtag gewesen. (...)

Wenn man aufzählen sollte, welche Eigenschaften Kohls seinen frühen und schnellen Weg nach vorne ermöglicht haben, so ist in erster Linie seine ausgesprochene Begabung für die Politik und den Umgang mit Macht zu nennen. Er liebt die Verantwortung und Führung und weiß sie zu gebrauchen. Dabei kommen ihm ein scharfer Intellekt, ein starker Wille und nicht zuletzt eine robuste körperliche Konstitution zustatten, die ihm ein großes und langes Arbeits- und Tagespensum ermöglicht. Für Pünklichkeit ist er bekannt. Jede Stunde ist vorausgeplant, und so trifft man trotz der Überfülle von Terminen, Konferenzen und Versammlungen in Kohl nie einen nervösen, aufgeregten oder gereizten Gesprächspartner. Für den Außenstehenden kann leicht der Eindruck eines im Innersten kühlen und distanzierten Mannes entstehen. Aber wer länger mit ihm zu tun hat, spürt recht bald, daß er um gute Atmosphäre besorgt ist und

Anerkennung und Aufmerksamkeiten nicht vergißt. Das Sprichwort, Pfeifenraucher seien die gemütlichsten Männer, trifft auf ihn, den man selten ohne Pfeife sieht, zu. Er sitzt gerne gemütlich mit Freunden zusammen und kommt auch persönlich prächtig mit seinen Kollegen von den anderen Landtagsfraktionen aus. Für die CDU-Landtagsfraktion in Rheinland-Pfalz bedeutet der Fraktionsvorsitz von Dr. Kohl naturgemäß frischen Wind, den die CDU nach der letzten Landtagswahl gut vertragen kann. (...)

PFÄLZER TAGEBLATT, 24. Oktober 1966
Europa zu beiden Seiten Deutschlands

Nur durch eine Europäisierung des Problems könne die Wiedervereinigung Deutschlands erreicht werden. Diese Ansicht vertrat der Landesvorsitzende der rheinland-pfälzischen CDU, Dr. Helmut Kohl, auf einer Informationstagung seiner Partei für Vertriebene und Flüchtlinge in Speyer. Mit dem nationalstaatlichen Denken des vergangenen Jahrhunderts sei diese Frage jedoch nicht zu lösen. Das «berechtigte Sicherheitsbedürfnis» der Tschechen und Polen könne nur befriedigt werden, wenn das vereinigte Deutschland eingebettet sei in einen großen europäischen Raum. «Für uns zählen diese Staaten genauso zu Europa wie Spanien, England oder Frankreich», sagte Dr. Kohl wörtlich.

Aus diesem Grunde trete die CDU/CSU für ein Europa ein, das zu beiden Seiten Deutschlands eine Heimat hat. Dazu bedürfe es jedoch der Unterstützung unserer westlichen Nachbarn. Dr. Kohl strebt in diesem Zusammenhang eine enge Zusammenarbeit mit Frankreich an. Doch könne es keine Wahl wischen Amerika und Frankreich geben.

Der Redner gab zu bedenken, niemand besitze ein Patentrezept, das die Wiedervereinigung Deutschlands im Gefolge habe. Nur «eine schöpferische Unruhe der deutschen Politik» könne diese Frage vorantreiben. Dr. Kohl forderte die demokratischen Parteien im freien Teil Deutschlands auf, eine einheitliche Grundauffassung in der Frage der deutschen Wiedervereinigung zu erarbeiten.

Eine gesamtdeutsche Politik falle nicht nur in das Gebiet der Außenpolitik, sondern greife tief [ein] in eine innerdeutsche Gesellschaftspolitik. Damit trat Dr. Kohl Meinungen entgegen, die Sowjetzone könne im Falle der Wiedervereinigung einfach der Bundesrepublik angegliedert werden. Wiedervereinigung bedeute, die in der Zone bestehenden gesellschaftspolitischen Verhältnisse mit einzubeziehen.

SAARBRÜCKER ZEITUNG, G. Kleer, 9. Juni 1973

Kohls integrative Ausstrahlung schuf echtes Landesbewußtsein

(...) Die Wahlniederlage von 1971 in Saarbrücken gegen Barzel (Kandidatur um den CDU-Bundesvorsitz beim CDU-Bundesparteitag) war für ihn (Helmut Kohl) kein Beinbruch. Er hatte mit 41 Jahren eben erst einmal «die Fahne gezeigt».

Seine Umgebung glaubt fest daran, daß er nunmehr auch die harte Kärrnerarbeit des notwendigen Strukturwandels der Union mit zäher Dynamik angeht, ohne dabei analog einer häufig gebrauchten Vokabel das politische Augenmaß aus dem Blick zu verlieren. Denn längst hat Kohl als Mainzer Regierungschef mit seiner CDU-Mehrheitsfraktion im Landtag das Grenzland im Südwesten vom Stigma der absoluten

Rückständigkeit befreit, indem er eine Reformpolitik durchsetzte, die nicht nur dem oktroyierten reformfeindlichen CDU-Image widersprach.

Der 1,93 Meter große «schwarze Riese», 1930 in Ludwigshafen geboren und noch immer dort wohnhaft, weiß heute die Mehrheit seiner Landesbevölkerung auf dem Weg zu einer «humanen Leistungsgesellschaft» hinter sich. (...)

Jedenfalls ist es in der Politik gemäß Kohls Maxime wie bei den Bauern: Man kann nicht den Führer spielen wollen, wenn der eigene Hof in Unordnung ist. Seit 1947 Mitglied der Union, hat er fast alle Ämter bekleidet, die die CDU zu vergeben hat. Und damit weiß er auch um die praktischen Möglichkeiten. Kohl führte die rheinland-pfälzische CDU als Landesvorsitzender seit 1966 zuerst aus ihrer organisatorischen Misere heraus.

Die laufende Gesetzgebungsarbeit von CDU-Mehrheitsfraktion und Landesregierung im Landtag steht unter einem progressiven Anspruch im Sinne der Chancengleichheit für alle Gruppen. Das beginnt beim Krankenhausreformgesetz («Krankenhaus ohne Privilegien»), geht über das am Donnerstag verabschiedete Landespflegegesetz mit einer festgeschriebenen Sozialpflichtigkeit des Eigentums über den zur Verabschiedung anstehenden Entwurf eines Bürgerbeauftragten bis zum Aktionsprogramm für eine bessere berufliche Bildung und einer Landesbauordnung mit eindeutigen Auflagen an die künftigen Bauherren für die Schwachen und kleinen Gruppen (Behinderte, Kinder).

Der Bundespartei will Kohl künftig eine größere Aufmerksamkeit für die klare Formulierung und überzeugende Begründung ihrer politischen Ziele und Grundwerte abverlangen. «Wir brauchen wieder eine Grundsatzdebatte von jener Intensität, die wir in den Anfängen der CDU erlebt haben.»

THE TIMES, London, Patricia Clough, 27. September 1982
Ein farbloser Hinterwäldler auf dem Prüfstand

Der neue westdeutsche Kanzler, der am Freitag gewählt werden wird, wenn alles nach Plan verläuft, heißt Dr. Helmut Kohl, obwohl es selbst in seiner eigenen Partei vielen lieber wäre, wenn dem nicht so wäre. Er kommt an die Macht mit dem Image eines farblosen Provinzpolitikers, der über keinerlei erkennbare Qualifikationen für eine so anspruchsvolle Aufgabe verfügt. (...)

Falls Helmut Kohl Erfolg haben sollte, wird vielen das, was sie bislang gesagt haben, sauer aufstoßen. Selten ist ein westdeutscher Politiker so kritisiert, erniedrigt und verhöhnt worden. Seinen Kritikern zufolge fehlen ihm intellektueller Tiefgang, Zukunftsperspektiven, Charisma und Lebensart. (...) Und doch verbergen sich hinter dem ausdruckslosen, bebrillten Gesicht eines netten Onkels, hinter seiner massiven Gestalt und hinter seiner Größe von 1,93 m Eigenschaften, die ihm mehr Gewicht verleihen, als es den Anschein hat. Als Zweiundfünfzigjähriger steht er nun dank seines unerschütterlichen Selbstvertrauens und seiner zähen Entschlossenheit an der Schwelle zur Kanzlerschaft. (...)

L'EXPRESS, Paris, Elie Marcuse, 14. März 1986
Bonn, das neue Wunder

(...) Helmut Kohl ist Optimist. Aus gutem Grund. Zehn Monate vor den Bundestagswahlen im Januar 1987 glaubt niemand, daß das neue «Wirtschaftswunder» den Kanzler und seine christlich-liberale Koalition nicht erneut für vier Jahre bestätigen wird.

Denn nach drei Jahren an der Macht erntet der Kanzler, dieser Mann «den man nicht unterschätzen darf», auch wenn er, nach einer Formulierung von Willy Brandt, eine der beliebtesten Spottzielscheiben der Bundesrepublik ist, die Früchte einer von ganz Europa mit Neid verfolgten Politik. (...)

Die Bundesrepublik will – für wie lange? – nicht länger das Land der Angst, der Beklemmung und der ängstlichen Visionen sein, sondern, ganz im Gegenteil, nach dem Vorbild des jungen Tennisspielers Boris Becker, ein Land der Gewinner in der internationalen Arena. (...)

DEUTSCHLAND AM WOCHENENDE, Peter Scholl-Latour, 9. Januar 1987
Das tiefe Zutrauen der Franzosen zu Helmut Kohl

Zum ersten Mal habe ich Helmut Kohl getroffen, als er noch in den sechziger Jahren Fraktionsvorsitzender der CDU in Rheinland-Pfalz war. Er hatte mich eingeladen, vor einem CDU-Kongreß in Mainz über die deutsch-französischen Beziehungen zu sprechen. Unter den Gästen dieser Tagung befand sich auch Konrad Adenauer. Deshalb mag es verständlich erscheinen, daß ich den heutigen deutschen Bundeskanzler in diesem kurzen Beitrag vor allem in Hinblick auf sein Verhältnis zu Frankreich beurteile.

Von Anfang an bestand kein Zweifel, daß Helmut Kohl in der freundschaftlichen Annäherung an Paris das erste Ziel der deutschen Außenpolitik sah. Selbst zu jener frühen Stunde – so entnahm ich einem langen Gespräch in einem Mainzer Wirtshaus – fühlte er sich berufen, eines Tages nach dem höchsten Regierungsamt zu greifen.

Sein Wunsch nach totaler Aussöhnung, ja nach einem engen Bündnis mit dem westlichen Nachbarn, erscheint normal für einen Mann, der im pfälzischen Grenzland beheimatet ist und dessen Vater als bayerischer Tapferkeitsoffizier die Stahlgewitter des Ersten Weltkrieges am eigenen Leibe erlebt hatte. (...)

Die jetzige Regierung in Bonn bietet die Gewähr, daß die permanente deutsche Verlockung eines mitteleuropäisch verbrämten Neutralismus nicht Fuß fassen kann. Diese Gewißheit, daß der westdeutsche Verbündete keine Sekunde an ein halsbrecherisches und am Ende für alle Europäer verderbliches Schaukelspiel zwischen Ost und West denkt, ist sicherlich der entscheidende Grund dafür, daß der jetzige deutsche Regierungschef der Masse der Franzosen wenn nicht Begeisterung, so doch tiefes Zutrauen einflößt. Zudem hat Helmut Kohl bewiesen, daß er in der Lage ist, seine Grundoptionen mit Hilfe der eigenen Partei nachhaltig durchzusetzen.

DIE ZEIT, Hamburg, Nina Grunenberg, 24. Juni 1988
«Endlich wieder ein Pilot im Flugzeug»

(...) Zwar spricht in den Kanzleien von Brüssel und Paris, von Rom und London, von Den Haag, Kopenhagen und Athen, von Madrid, Lissabon und Luxemburg niemand von Liebe, wenn von Helmut Kohl die Rede ist, wohl aber von Respekt und Anerkennung. Das Lob für seine Leistung in der Ratspräsidentschaft der Gemeinschaft, die für das erste Halbjahr 1988 turnusmäßig an den Deutschen fiel und nächste Woche auf dem Gipfel der zwölf europäischen Regierungschefs in Hannover zu Ende geht, wird der Bundeskanzler sich jedenfalls nicht selber spenden müssen.

Dazu ist die Erleichterung über den «Durchbruch» zu groß, der nach einer langen Durststrecke im letzten halben Jahr gelungen ist. Der «Befreiungsschlag», mit dem unter Kohls Vorsitz im Februar auf dem Sondergipfel in Brüssel die schwere Finanz- und Verteilungskrise beendet wurde, die vier Jahre angedauert und die Gemeinschaft bis zur Bewegungsunfähigkeit gelähmt hatte, hat den Zwölfen eine fast schon nicht mehr geglaubte Zukunft eröffnet. Auf die Frage, was denn plötzlich anders geworden sei, heißt es beispielsweise in Paris lapidar: «Helmut Kohl ist es gelungen, für fünf Jahre Ruhe an der Haushaltsfront zu schaffen. Damit ist endlich der Blick auf den Binnenmarkt 1992 frei.» Ausdrücklich wird Kohls *esprit de compromis* von den Franzosen gerühmt – eine Bürgertugend, die ihrer eigenen Wesensart eher fremd ist. «Aber Helmut Kohl ist eben eine *bête politique*, die es ausgezeichnet versteht, sich in die Haut der Artgenossen hineinzuversetzen. Von den Regierungschefs ist niemand schneller als er, wenn es darum geht, die Interessen der anderen zu erkennen.» (...)

Ein Belgier fand sogar, der Deutsche habe den Europäern das beruhigende Gefühl gegeben, als «säße wieder ein Pilot im Flugzeug».

DIE ZEIT, Hamburg, Rolf Zundel, 6. Januar 1989
«Ein Kanzler wie ein Eichenschrank»

Helmut Kohl geht ins siebte Jahr seiner Kanzlerschaft, und vom Ende seiner Regierungszeit redet niemand mehr. Eine faszinierende Figur ist er für viele Bürger immer noch nicht; in der Demoskopie wirkt er nach wie vor unscheinbar; er profitiert nicht vom traditionellen Kanzlerbonus. Aber gleichwohl ist er als Kanzler so selbstverständlich geworden, daß die Suche nach Alternativen auch die kritischen Kommentatoren nicht mehr beschäftigt. In der Union will vorläufig auch niemand mehr gefunden werden. (...)

Die Beobachtung von Pannen und Schwächen, lange Zeit Lieblingsbeschäftigung der Bonner Journalisten, erscheint nicht mehr so ergiebig wie früher – teils weil die Pannen-Anfälligkeit der Kohl-Regierung etwas nachgelassen hat, teils weil Kohls Regierungsstil, wenn schon nicht akzeptiert, so doch als unveränderlich hingenommen wird. «Der Kanzler», so schildert einer seiner Mitarbeiter, «ist wie ein schwerer Eichenschrank, an dem man sich zwar immer wieder stößt, den zu verrücken aber alle aufgegeben haben.» «Wir haben», so drückte es ein anderer aus, «den Normalfall der Kanzlerdemokratie.» Bonn sich ohne Kohl vorzustellen – es gelingt nicht mehr. (...)

WELT AM SONNTAG, Bonn, Peter Boenisch, 24. Dezember 1989

Ob Dresden oder Brandenburger Tor, Helmut Kohl macht alles richtig

«Der Mann ist mir ein Rätsel. Ob Frauenkirche Dresden oder Brandenburger Tor Berlin, auf einmal macht er alles richtig.» Ein anderer fügt zwischen Spott und Respekt hinzu: «Kanzler Kohl in Hochform.» Es waren keine Kohl-Anhänger, die das sagten.

Für die, die ihn gut kennen, ist sein Verhalten keine Überraschung. In der Deutschland- und Europapolitik kennt er sich aus. Er weiß, daß dies eine geschichtliche Stunde ist, und da ist er voll konzentriert. (...)

Helmut Kohls Bewunderung für die «friedliche Revolution in der DDR», sein Versprechen: «Wir lassen unsere Landsleute in der DDR nicht im Stich», bringen ihm und uns Sympathien.

Deshalb rufen sie drüben «Helmut – Helmut».

Es wird ihm gut getan haben. Die Gefahr, daß er abhebt, ist bei ihm sehr gering. nicht nur aus Gewichtsgründen. Wenn es sein muß, kann diese Masse Mensch sehr vorsichtig agieren.

«Deutsche an einen Tisch», das war einst ein Spruch der Kommunisten. Er paßt sehr gut zu Helmut Kohl. Aber er würde damit nicht nur Parteien, Gruppen, Delegierte meinen.

Wenn es technisch ginge, würde er das ganze Volk an einen Tisch einladen. Es gäbe reichlich zu essen und zu trinken. Es würde gesungen, und die Stimmung wäre gut. Und es würde ihn nicht stören, wenn der «Spiegel» hinterher meckern würde: «Es gab schon wieder Pfälzer Saumagen.»

Dieser Mann ist kein Rätsel. Es liegt viel Stärke in seiner Einfachheit. Es wäre nicht verwunderlich, wenn dieser so oft verspottete Kanzler der Baumeister einer neuen deutschen Einheit in Freiheit wird.

DIE PRESSE, Wien, Otto Schulmeister, 2. April 1990
Europas Mann des Jahres (zum 60. Geburtstag Helmut Kohls)

Visionen sind heute rar; auch der sechzigjährige Bundeskanzler besitzt kein Weltrezept. Dazu ist er mit der politischen Realität und den Wechselfällen des Schicksals vertraut genug. Am besten hält man sich da an das, was man hat. Für uns ist das Europa, der Westen, vielleicht einmal auch der Osten. (...)

Das Risiko, die deutsche Einheit zurückzugewinnen und zum Ausgangspunkt einer kontinentalen Einigung zu machen, ist enorm, vielleicht aber das einzige Mittel, Mitteleuropa zusammen mit den Deutschen geistig und seelisch zu sanieren. Die Opfer sind der Preis, dem schleichenden Wohlstands-Nihilismus und dem Zuschauen ein Ende zu machen. Ein „New frontier"-Erlebnis könnte ein Europa beleben und erneuern.

Helmut Kohl vertraut angesichts der Prüfungen, die ihn und Bonn erwarten, auf die geschichtliche Schubkraft der Stunde. Und wer einst das «österreichische Wunder» erlebt hat, darf erst recht einem deutschen Wunder diese Chance einräumen. Was anderes erfahren wir denn alle, als daß Raum und Geschichte, schon abgeschrieben, wieder in Kraft treten? Mit Klugheit und Festigkeit können sie helfen.

Der sechzigjährige Bundeskanzler in Bonn ist Europas Mann dieses Jahres.

DIE WELT, Bonn, Manfred Schell, 2. April 1990
Kanzler der Deutschen (zum 60. Geburtstag)

(...) Hinter uns liegen gute sieben Jahre. Die Wirtschaft läuft auf Hochtouren. Die D-Mark ist überall begehrt. Die Bundesrepublik Deutschland genießt in Ost und West Vertrauen, weil sie ein berechenbarer Partner ist. Den Deutschen geht es besser denn je. Gemeinsam mit Frankreich ist ihnen die Rolle des Architekten beim Bau Europas zugefallen. Dieses Europa der Freiheit und des Marktes ist zur Hoffnung für die Länder Mittel- und Osteuropas geworden. Daran hat die Politik Helmut Kohls entscheidenden Anteil. Seine Festigkeit hat auch an der Aufweichung im Osten entscheidenden Anteil, daran, daß Gorbatschow den Ländern Osteuropas Spielräume einräumen mußte, die diese konsequent nutzten. (...)

Dies alles muß man sich in Erinnerung rufen, wenn man verstehen will, warum Helmut Kohl einen Triumph in der DDR erlebt hat, warum Hunderttausende zu ihm strömten, warum die Allianz wider manche Erwartungen gewann. Kohl ist der Hoffnungsträger der Menschen. So einfach, so überwältigend zugleich ist es.

BILD, Prof. Arnulf Baring, 19. Juli 1990
Die Gunst der Stunde beherzt genutzt

Er wurde von den Intellektuellen fast durchweg ähnlich verächtlich gemacht wie früher Adenauer. Kohls Fähigkeiten und Leistungen blieben lange unerkannt.

Später sprach man, ebenso ahnungslos, von brutaler Machtpolitik. Nach den Ursachen seiner Erfolge in Partei und Koalition wurde nicht gefragt; man übersah, wie zunehmend instinktsicher er auch international agierte.

Außenpolitisch kamen ihm neue Umstände zu Hilfe: Polen, Ungarn, Gorbatschow, dann der Zusammenbruch des SED-Staats. Kohl hat, als klar wurde, daß es keine neue DDR geben würde, beherzt die Gunst der Stunde genutzt.

Notfalls auch gegen den Rat der Fachleute hat er energisch das Erforderliche getan. Er hat dabei bisher Glück gehabt. Ihm ist aber auch, aufs ganze gesehen, kein Fehler unterlaufen.

Seine verhaltene Wortwahl, seine ruhige Würde haben unsere Verbündeten nicht unbeeindruckt gelassen. Sie vertrauen auf die Verläßlichkeit unserer Bündnistreue und billigen daher auch, daß wir der Sowjetunion helfen.

Mit Kohl ernten wir Deutschen die Früchte unserer 40jährigen Aufbauarbeit im Westen.

THE GUARDIAN, London, Sir Julian Bullard, 27. August 1990
Der erste Kanzler des wiedervereinigten Deutschland

Bundeskanzler Kohls Bravourleistung, den sowjetischen Präsidenten dazu zu bringen, seine Einwände gegen eine deutsche NATO-Mitgliedschaft aufzugeben, hätte ihm bereits einen Platz in den Annalen der Geschichte verschafft, selbst wenn er nicht – was jetzt als sicher gilt – prädestiniert wäre, der erste Kanzler des wiedervereinigten Deutschlands zu werden. Nicht mehr seit Konrad Adenauer 1955 die deutschen Kriegsgefangenen aus Moskau zurückbrachte, ist ein deutscher Regierungschef mit solchem Triumph zurückgekehrt wie Helmut Kohl im letzten Monat aus Stavropol. (...)

IMPULSE, Johannes Gross, September 1990
«Der neue Kohl»

Ungefähr ein Jahr ist es her, daß die Öffentlichkeit Deutschlands und der Welt Wandlung und Aufstieg eines Mannes wahrnimmt, der als erprobter Parteipolitiker längst ausgewiesen war, die innenpolitischen Verheerungen einer um drei Jahre zu langen sozialliberalen Herrschaft beseitigt hatte und unter Kennern seit langer Zeit schon den Titel eines Meisters des «political in-fighting» innehatte, der Kunst des politischen Graben- und Machtkampfs. Seit Mitte des letzten Jahres zeigt sich ein anderer, neuer Helmut Kohl, der, unmerklich fast, zu einer der wenigen Führungsgestalten der Weltpolitik aufgestiegen ist.

Zeittafel

1930: Helmut Kohl wird am 3. April in Ludwigshafen geboren

1947: Der siebzehnjährige Beamtensohn gründet in Ludwigshafen mit Freunden zusammen die Junge Union

1954: Stellvertretender Landesvorsitzender der Jungen Union Rheinland-Pfalz

1955: Mitglied des CDU-Landesvorstandes

1958: Abschluß des Studiums der Geschichte, Rechts- und Staatswissenschaft an der Universität Heidelberg mit einer Dissertation über Parteigründungen nach dem Zweiten Weltkrieg

1959: Jüngster Abgeordneter des Mainzer Landtages

1960: Helmut Kohl kommt in den Stadtrat und wird zum CDU-Fraktionsvorsitzenden gewählt

1961: Stellvertretender Fraktionsvorsitzender und

1963: Vorsitzender der Mainzer CDU-Landtagsfraktion

1964: Mitglied des CDU-Bundesvorstandes

1966: Landesvorsitzender der CDU Rheinland-Pfalz

1969: Jüngster Regierungschef eines Bundeslandes, Nachfolger von Peter Altmeier als Ministerpräsident

1971: Niederlage bei der Wahl zum CDU-Bundesvorsitzenden auf dem Parteitag in Saarbrücken gegen Rainer Barzel

1973: Vorsitzender der Christlich Demokratischen Union Deutschlands

1975: Unter seiner Führung greift die CDU in der Mannheimer Erklärung mit der Neuen Sozialen Frage neue gesellschaftspolitische Problemstellungen auf

1976: Mit Helmut Kohl als Kanzlerkandidat erreicht die Union mit 48,6 Prozent der Stimmen ihr bisher zweitbestes Ergebnis bei Bundestagswahlen. Er wird Vorsitzender der CDU/CSU-Fraktion im Deutschen Bundestag

1978: Die CDU festigt mit dem Grundsatzprogramm ihr programmatisches Profil

1981: Kohl wird von 96 Prozent der Delegierten in seinem Amt als Parteivorsitzender bestätigt

1982: Die Abgeordneten des Deutschen Bundestages wählen Helmut Kohl am 1. Oktober zum bisher jüngsten Kanzler der Bundesrepublik Deutschland

1983: Die von Helmut Kohl geführte Bundesregierung wird von den Bürgern am 6. März mit deutlicher Mehrheit im Amt bestätigt und setzt den NATO-Doppelbeschluß parlamentarisch durch

1987: Erneuter Wahlsieg der Koalitionsregierung unter Helmut Kohl am 25. Januar

1989: Nach der friedlichen Revolution in der DDR verkündet Kohl am 28. November sein Zehn-Punkte-Programm zur Überwindung der Teilung Deutschlands und Europas

1990: Bei den ersten freien Wahlen in der DDR wird die von Kohl unterstützte «Allianz für Deutschland» (CDU, DSU, DA) stärkste politische Kraft. Nach dem Beitritt der DDR ist Helmut Kohl mit dem 3. Oktober Bundeskanzler aller Deutschen, seit dem 1. Oktober Vorsitzender der wiedervereinigten CDU Deutschlands.